QUAND J'EN AURAI FINI AVEC TOI

Jean-Philippe Bernié

Quand j'en aurai
fini avec toi

la courte échelle

Les éditions de la courte échelle inc.
160, rue Saint-Viateur Est, bureau 404
Montréal (Québec) H2T 1A8
www.courteechelle.com

Dépôt légal, 1er trimestre 2012
Bibliothèque nationale du Québec

La courte échelle reconnaît l'aide financière du gouvernement du Canada par l'entremise du Fonds du livre du Canada pour ses activités d'édition. La courte échelle est aussi inscrite au programme de subvention globale du Conseil des Arts du Canada et reçoit l'appui du gouvernement du Québec par l'intermédiaire de la SODEC.

La courte échelle bénéficie également du Programme de crédit d'impôt pour l'édition de livres – Gestion SODEC – du gouvernement du Québec.

Catalogage avant publication de Bibliothèque et Archives nationales du Québec et Bibliothèque et Archives Canada

Bernié, Jean-Philippe
Quand j'en aurai fini avec toi
ISBN 978-2-89651-890-6
I. Titre.

PS8603.E736Q36 2012   C843'.6   C2011-942531-9
PS9603.E736Q36 2012

Imprimé au Canada

à fb

Avertissement

Le lecteur me pardonnera d'avoir déboisé une partie du mont Royal pour y installer une cinquième université montréalaise, l'Université Richelieu. Il va de soi que cette université et les événements qui s'y déroulent sont, comme les personnages de ce livre, entièrement fictifs.

1

S'il arrive parfois que dans notre vie professionnelle ou personnelle nous souhaitions voir disparaître un adversaire coriace ou un partenaire encombrant, l'occasion de réaliser ce désir se présente rarement. Lorsqu'en ce lundi 15 février Claire Lanriel se réveilla à six heures trente du matin, elle ignorait qu'exactement trois semaines plus tard cette occasion lui serait offerte.

Elle marcha pieds nus jusqu'à la fenêtre, tira les rideaux : Montréal se réveillait lentement, et les tours illuminées du centre-ville émergeaient à peine de la brume qui montait du Saint-Laurent. Elle s'attarda à contempler son reflet dans la vitre : blonde, mince, les yeux gris, les pommettes hautes, elle portait élégamment la quarantaine. Satisfaite, elle passa dans la salle de bain, prit une longue douche chaude, puis, vêtue d'un épais peignoir crème, alla boire son café dans la cuisine. Elle alluma son ordinateur portable et jetait un coup d'œil aux cours de clôture des bourses asiatiques — les turbulences des marchés financiers la préoccupaient — lorsque le téléphone sonna.

Sept heures et quart du matin ? Claire prit le combiné et fit une grimace lorsqu'elle vit qui l'appelait. Elle reposa l'appareil et quelques secondes plus tard la voix geignarde de sa belle-sœur sortit du haut-parleur du répondeur :

— Bonjour, Claire, c'est Nathalie... Je pensais te trouver chez toi, je sais que tu te lèves tôt... Je pars de Québec dans quelques minutes, je dois être à Montréal aujourd'hui, et je pensais que ce soir, après ton travail, nous pourrions nous retrouver pour faire les boutiques... et je voudrais aussi que nous parlions du chalet...

Les doigts de Claire se crispèrent sur sa tasse. La voix de Nathalie continuait, plaintive :

— Appelle-moi sur mon portable... J'espère vraiment que nous pourrons nous voir aujourd'hui. Tu comptes beaucoup pour moi, surtout depuis la mort d'Hughes...

Claire posa brutalement sa tasse et quelques gouttes de café s'en échappèrent. Elle coupa le son du répondeur puis se leva et prit un papier essuie-tout pour nettoyer le café renversé. Son frère Hughes avait commis deux erreurs majeures : épouser Nathalie quinze ans plus tôt avait été la première ; succomber à un cancer foudroyant l'automne précédent, la seconde. Esseulée et larmoyante, Nathalie s'était tournée vers sa belle-sœur et avait tenté d'en faire son amie — ce qui pour elle signifiait écouter d'une oreille compatissante le récit incessant de ses multiples malheurs qui faisaient d'elle une victime de la cruauté de l'existence. Dès leur première rencontre, Claire avait compris que Nathalie voyait la vie comme une longue plainte et elle avait fait de son mieux pour l'ignorer toutes ces années. À la mort de son frère, elle l'aurait vue disparaître de son existence avec plaisir, mais leur union avait fait de Nathalie une des trois copropriétaires du chalet familial, dans les collines des Cantons-de-l'Est, juste au sud de Sherbrooke.

— Twiddlekat ?

Le beau chat roux était resté invisible ce matin, alors que d'habitude il aimait venir se frotter contre ses jambes. Claire remarqua qu'il n'avait pas touché à l'assiette de thon en boîte qu'elle lui avait donnée la veille. Elle finit par le trouver au fond d'un placard, blotti entre des boîtes à chaussures. Il miaula quand il la vit mais ne bougea pas. Claire haussa les épaules. La faim le ferait sortir. Quant à elle, sa journée de travail l'attendait.

Une demi-heure plus tard, elle quittait l'avenue du Parc pour entrer sur le campus de l'université Richelieu. Elle dépassa plusieurs bâtiments érigés sur le flanc du Mont-Royal et s'arrêta devant le dernier d'entre eux, cube de béton enneigé qui abritait le Département des matériaux. Elle se gara dans la section réservée aux professeurs, entra dans le bâtiment et prit l'ascenseur. À peine en était-elle sortie qu'Hubert Gatwick surgit de son bureau — il avait dû guetter son arrivée.

— Bonjour, Claire, je suis content de vous voir. Auriez-vous quelques minutes à me consacrer?

Claire poussa un soupir qu'elle ne se donna même pas la peine de cacher. Elle suivit néanmoins Gatwick jusqu'à une pièce sombre avec de la moquette marron et un ficus languissant, où rien n'avait changé depuis les années 70. Gatwick lui-même, soixante-sept ans, petit, chauve, moustaches et lunettes fumées, était totalement d'époque. Plus grave, aucune force ne semblait en mesure de le mettre à la retraite.

— Je voudrais que nous parlions du projet Wing 3000, dit-il en l'invitant à s'asseoir. Il faut faire avancer le processus d'embauche des chercheurs pour l'étape suivante. Nous devons être attentifs à ne pas prendre de retard.

— J'ai commencé à examiner les CV et je vous transmettrai bientôt ma première sélection de candidats.

Gatwick eut un mouvement de surprise.

— Nous avions décidé au début du projet que les embauches seraient sous ma responsabilité.

— L'environnement réglementaire a changé. Si Wing 3000 réussit, nous aurons développé une aile d'hélicoptère en matériaux composites tout à fait révolutionnaire, et l'armée américaine sera certainement intéressée.

— Tout le monde sera intéressé, rétorqua Gatwick avec agacement. Je ne vois pas ce que l'armée américaine et l'environnement réglementaire viennent faire dans mon processus d'embauche.

— C'est pourtant très simple, Hubert. Pour travailler avec l'armée américaine, il faut se soumettre à leurs nouvelles exigences en matière de sécurité, ce qui inclut le *screening* de tous les employés. Votre équipe de recherche est remplie de Moyen-Orientaux. Notre calendrier de travail est trop serré pour que nous puissions nous permettre de perdre du temps en procédures liées aux contraintes bureaucratiques. Donc il vaut mieux que je m'en occupe.

— Mais…

— Ce n'est qu'un détail administratif. Il y a beaucoup de contraintes et j'ai simplement fait ce que je jugeais être le mieux dans l'intérêt du projet.

Gatwick se raidit. Des plaques rouges marbrèrent ses joues pâles.

— J'aurais quand même souhaité être prévenu.

— Je comprends, dit Claire en se levant. Je suis désolée.

Elle oublia Gatwick et ses récriminations avant même de franchir le seuil de son bureau. Ses pas ralentirent légèrement lorsqu'elle passa devant la porte de chêne où était vissée une plaque de bronze indiquant *Michel BERTHIER — Directeur.* Dans quelques années, pensa-t-elle, dans quelques mois peut-être, ce bureau et ce titre de directeur du département seraient à elle, à elle… Ils le seraient.

Quelques instants plus tard, dans son propre bureau, elle ouvrit un épais dossier vert intitulé *Rapport intermédiaire – Projet Wing 3000. Confidentiel. Coordonnatrice: professeure Claire LANRIEL.* Le travail de ses collègues avait été remarquable, songea-t-elle en feuilletant le document de synthèse qu'elle avait rédigé les jours précédents. Un peu trop remarquable, peut-être.

Son portable sonna. Encore Nathalie! Cette fois, elle devait répondre. Il était hors de question de passer la soirée dans les magasins avec elle, mais elle devait quand même rester aimable et polie, tout pour que sa belle-sœur finisse par se lasser du souvenir d'Hughes et accepte de revendre sa part du chalet.

— Allô? Ah! bonjour, Nathalie, comment vas-tu?... Écoute, j'ai beaucoup de travail aujourd'hui. Ce soir, je serai au bureau au moins jusqu'à dix-neuf heures et je ne pourrai pas courir les boutiques. Nous pourrions peut-être déjeuner ensemble? À midi et demi, ça te va? Oui, à la brasserie habituelle, sur l'avenue du Parc. Je m'occupe de la réservation. À tout à l'heure.

Claire raccrocha. Comment se débarrasser de Nathalie? Dès les obsèques de Hughes, elle avait parlé du chalet avec une sentimentalité geignarde:

— On pourra s'y retrouver les fins de semaine et parler de ton frère. J'aurai beaucoup de plaisir à marcher avec toi dans notre forêt.

Notre forêt? *Notre* forêt? Claire avait manqué s'étouffer, suffoquée par une rage soudaine. Ce bois, ce lac, ces arbres — c'était *son* domaine, celui qu'elle avait partagé avec son frère quand ils étaient enfants. Laisser cette pleurnicheuse envahir le territoire de ses souvenirs d'enfance? Jamais — jamais. Elle avait immédiatement proposé de racheter la part de Nathalie qui avait refusé, les larmes aux yeux:

— Comment peux-tu me demander cela, Claire? Ne comprends-tu pas que ce chalet est le dernier lien que j'ai avec ton frère? Ce serait monstrueux de vouloir me le prendre! Tu n'as donc pas de cœur?

13

Claire avait alors revu son frère sur son lit de mort, le visage émacié, le regard suppliant. *J'aimerais tellement que tu t'entendes bien avec Nathalie.* Mais il savait pourtant qu'elle ne pourrait pas, qu'elle ne pourrait jamais s'entendre avec Nathalie… Un mois plus tard, après les obsèques, elles s'étaient retrouvées au chalet. Claire avait tenu exactement une heure et demie avant de reprendre la route, secouée et tremblante, prétextant un appel pour rentrer à Montréal. Les lieux chers et familiers, les vieux rondins qu'elle connaissait par cœur, les meubles dont elle aurait pu dessiner chaque marque les yeux fermés, tout cela s'était dissous dans les incessantes jérémiades de sa belle-sœur qui ne l'avait pas quittée d'une semelle et ne s'était pas tue une minute. Claire n'était pas retournée au chalet le week-end d'après mais, n'y tenant plus, elle avait pris deux jours de congé au milieu de la semaine suivante. Elle était partie de Montréal très tôt le matin, le cœur léger, Twiddlekat dans sa cage sur le siège à côté d'elle, et elle avait emprunté l'autoroute des Cantons-de-l'Est. Puis elle avait pris la route secondaire sur une quinzaine de kilomètres, tourné à l'embranchement habituel, dépassé la maison de Simone et Édouard, et s'était arrêtée devant le chalet qui l'attendait paisiblement. Elle avait ouvert la porte et failli s'évanouir : Nathalie avait bougé les meubles et repeint les murs en vert pâle. Frémissante de rage, Claire avait exigé qu'elle repeigne de la couleur initiale, prétendant vouloir garder le chalet exactement comme il était à la mort de son frère, et elle s'était détestée pour ce mensonge. Elle ne pouvait pas envisager de partager le chalet avec Nathalie, ce n'était pas possible ; il fallait qu'elle l'en sorte, il fallait qu'elle l'en chasse. Depuis, elle n'y avait plus passé que quelques moments volés, quelques heures ici, une demi-journée là, lorsqu'elle était sûre de ne pas y trouver Nathalie. Ça ne pouvait pas durer.

Claire fit un effort pour chasser sa belle-sœur de ses pensées et se concentrer sur son travail. Elle décrocha son téléphone.

— Eric ? Ici Claire Lanriel. Pouvez-vous passer à mon bureau, s'il vous plaît ?

Quelques instants plus tard, le professeur Eric Duguet assit face à elle sa silhouette athlétique de blond aux yeux bleus. À trente-cinq ans, diplômé d'une grande école d'ingénieurs française, il était un peu plus jeune que Claire et avait fait preuve pour le projet Wing 3000 d'un esprit d'initiative certain et de compétences solides. C'était donc un concurrent potentiel. Il était sans doute trop jeune et pas tout à fait assez familier avec les codes de travail nord-américains pour constituer une menace sérieuse à la succession de Michel Berthier à la tête du département, mais Claire Lanriel avait toujours été prudente et méthodique.

— J'ai terminé le rapport d'avancement sur Wing 3000, dit-elle en lui tendant le dossier vert. Il faudrait que vous le lisiez avant que je le transmette à Michel.

— Quand devez-vous le remettre ?

— Ce soir.

— Ce soir ?! Mais ce rapport fait plus de cinquante pages !

— Oui, mais il n'y a rien de nouveau. Ce n'est qu'un récapitulatif des travaux effectués au cours de la dernière période.

Eric tourna quelques pages. Puis il tomba en arrêt et l'expression de son visage changea.

— Vous parlez ici de la simulation de la résistance aérodynamique de l'aile. Mon projet.

— Votre *sous*-projet. Et qui fait partie intégrante de *notre* projet, dont je suis la coordonnatrice.

— Ce n'est pas la question. J'aurais souhaité rédiger cette section moi-même.

— Ç'aurait été une perte de temps de vous impliquer dans la rédaction de ce rapport et je n'ai pas jugé utile de vous déranger avec ces détails administratifs, dit Claire avec impatience. Il me faut vos commentaires avant dix-sept heures.

Son ton indiquait que pour elle la conversation était terminée. Eric parut sur le point de répliquer puis se ravisa, murmura quelque chose d'indistinct, se leva et sortit, le dossier vert sous le bras.

* * *

Deux étages plus bas, Christine Verlanges regardait le Mont-Royal par la fenêtre de la bibliothèque. Les arbres noirs, la neige blanche, le ciel gris et bas du mois de février... aucun skieur de fond ne troublait la froide beauté matinale de la montagne. Mais elle, pourrait-elle contempler encore longtemps ce paysage depuis cette fenêtre?

Christine se frotta nerveusement les mains et revint à son bureau, près de l'entrée de la bibliothèque. Elle était petite, menue, avec un visage délicat et de grands yeux noirs, et elle paraissait très jeune malgré les cheveux blancs qui commençaient à orner ses tempes. La bouilloire sifflait. Elle remplit sa tasse et y plongea un sachet d'Earl Grey. Puis elle regarda autour d'elle: les étagères de livres, de revues et d'ouvrages de référence, le tout soigneusement rangé et classé par ses soins; oui, elle aimait son travail. Depuis que, jeune bibliothécaire fraîchement diplômée, elle était entrée au département grâce à son cousin qui y finissait sa thèse et l'avait recommandée pour un stage, elle savait qu'elle avait trouvé sa place, et elle avait toujours été sûre de passer toute sa carrière dans le confort rassurant de l'université Richelieu...

jusqu'à ce que, tout récemment, quelques mots négligents de Claire Lanriel brisent ce rêve.

— Avez-vous fait ma recherche d'articles, Christine ? avait dit Claire en entrant dans la bibliothèque.

— Je n'ai pas fini, professeure Lanriel, il me manque les résultats de la base de données des Chemical Abstract.

— Je vous ai demandé ça lundi dernier !

Se sentant rougir, et ne voulant surtout pas que la professeure Lanriel pense qu'elle était lente, ou paresseuse, Christine avait bafouillé :

— C'est que… c'est que je n'ai plus accès aux ChemAb. J'ai demandé…

— Pourquoi n'y avez-vous plus accès ?

— Ils ont changé la licence, avant c'était pour toute l'université, mais maintenant il faut payer pour chaque poste, donc on l'a seulement à la bibliothèque de la faculté. Je leur ai transmis votre demande le jour même, mais ils ne m'ont pas encore répondu. Dès que j'aurai leur listing je vous le transmettrai, professeure Lanriel…

Claire l'écoutait à peine. Embrassant du regard la pièce encombrée d'étagères et de livres, elle avait murmuré :

— L'existence de cette bibliothèque elle-même est de moins en moins justifiée. Il serait plus rationnel de la fermer pour tout rassembler à la faculté. Et on pourrait installer des bureaux. On manque tellement de place !

Et elle était partie, laissant Christine pétrifiée. Sa. Bibliothèque. Fermée. C'était un mauvais rêve — c'était un cauchemar ! Après une semaine d'angoisse et d'insomnie, elle s'était forcée à aborder le sujet avec Michel Berthier, le directeur du département, qui était descendu à la bibliothèque pour consulter une revue.

— Professeur Berthier, j'ai vu que plusieurs départements de l'université avaient décidé de regrouper leurs bibliothèques à la Faculté. Pensez-vous que… pensez-vous que notre département devrait faire la même chose?

Michel Berthier l'avait regardée un instant par-dessus ses demi-lunes. Puis il avait dit:

— Je pense que nous n'avons pas de raison de le faire. Notre bibliothèque est très bien là où elle est, puisqu'elle évite par exemple à nos étudiants de sortir dans le froid chaque fois qu'ils souhaitent y venir. Mais je ne sais pas si celui — ou celle — qui me succédera partagera cette opinion.

Le message était clair et, depuis, Christine vivait dans l'angoisse. Elle n'était pas employée de l'université, simplement du département, et si la bibliothèque fermait elle se retrouverait sans emploi. Sans emploi, sans argent, sans sécurité… sans rien. Tout cela, à cause de Claire Lanriel et de ses rêves de grandeur.

La porte de la bibliothèque s'ouvrit et Christine sursauta puis vit avec soulagement que ce n'était pas Claire Lanriel qui entrait, mais May Fergusson, la secrétaire administrative du département. May avait la cinquantaine avancée, les cheveux gris coupés très court et, hiver comme été, portait des jeans et un sweat-shirt. Il était neuf heures moins dix du matin et elle était déjà là? Dans une main May tenait un carnet, et dans l'autre un objet bizarre — un boîtier noir surmonté d'une mince tige brillante.

— Un thermocouple, un thermomètre électronique, expliqua-t-elle à Christine. Je l'ai emprunté à Gatwick pour relever la température dans chaque pièce du bâtiment. On a encore des problèmes avec le chauffage et je dois voir le responsable des services techniques dans une demi-heure.

— Ici, ça va, dit Christine.

— À cet étage il n'y a pas de problème, mais il fait à peine dix degrés dans certains bureaux du sous-sol, et dans les laboratoires c'est encore pire. Et personne n'est capable de me dire d'où vient le problème !

— C'était déjà la même chose l'hiver dernier, non ?

— Oui, et ils n'ont réparé qu'en avril, grogna May.

— On pourrait mettre les chercheurs ailleurs en attendant, suggéra Christine.

— Mais où ? Tous les bureaux sont déjà occupés, à part quelques-uns au deuxième étage, mais ils sont à Gatwick et je n'imagine pas Gatwick céder ses bureaux à Lanriel, même à titre temporaire !

Donc, nota Christine, c'étaient les étudiants de Claire Lanriel qui avaient froid. Les pauvres, déjà qu'ils étaient bien à plaindre…

— Et s'ils venaient ici ? proposa-t-elle soudain.

— Où ça, ici ?

— Ils pourraient s'installer au fond de la bibliothèque, sous les fenêtres. Derrière la dernière rangée d'étagères, il y a de la place pour au moins cinq ou six bureaux. Ça ne dérangerait absolument personne.

— C'est une bonne idée, dit May après un instant de réflexion. Oui, c'est une très bonne idée. Il va falloir en parler à Lanriel.

— Vous vous en occupez, s'exclama Christine précipitamment.

— Vous ne voulez pas affronter le dragon ? fit May, rigolarde.

Impulsivement, Christine demanda :

— May, croyez-vous… croyez-vous qu'elle a une chance de devenir directrice du département ? Claire Lanriel, je veux dire ?

Un peu surprise, May leva les yeux vers elle :

— Je le pense, oui. Si Michel Berthier ne renouvelle pas son mandat de directeur, c'est même ce qu'il y a de plus probable.

Elle attendit un bref instant et ajouta doucement :

— Pourquoi cette question, Christine ?

Christine prit une grande inspiration :

— Parce que... parce que la professeure Lanriel m'a dit qu'elle voulait fermer la bibliothèque. Pour en faire des bureaux. Et si la bibliothèque ferme, je perds mon emploi.

May fit un pas vers Christine et baissa la voix.

— Alors ne perdez pas de temps, Christine. Cherchez ailleurs... sans attendre !

2

À midi et quart, Eric Duguet quitta son bureau de l'université Richelieu pour rejoindre Todd Alkibiadès dans un restaurant à proximité, sur l'avenue du Parc. Quand il entra, Todd était déjà installé à une table derrière une plante verte en plastique et examinait la carte. Todd... brun, gentil, mignon — et totalement impénétrable.

— Tu as passé une bonne matinée? lui demanda-t-il dans son français chantant.

Eric haussa les épaules.

— Comme d'habitude: ça allait très bien jusqu'à ce que je tombe sur Claire Lanriel. Je n'ai jamais rencontré quelqu'un d'aussi nuisible.

— Qu'est-ce qu'elle t'a fait?

— Elle veut me faucher mon travail.

— Ce n'est pas bien, dit Todd.

Eric le regarda. Après deux mois de relations épiso-diques, il n'arrivait toujours pas à savoir si Todd était sérieux, pince-sans-rire, se moquait gentiment de lui, ou simplement masquait son indifférence par une politesse de façade.

— Non, ce n'est pas bien, dit-il en ouvrant le menu. Cette femme est une plaie.

— Elle était pareille avec les étudiants, dit Todd. On avait tous peur d'elle, sauf ceux qui en étaient amoureux.

— Amoureux ? Tu veux rire !

— Non, non, je t'assure. Certains *straights*... ils étaient attirés par son côté dominatrice. Et avec son accent français, c'était encore mieux.

Eric se demanda comment il devait prendre cette dernière remarque.

— Elle est moitié-moitié, tu sais, fit-il observer d'un ton un peu pincé.

— Moitié-moitié ?

— Moitié française, moitié américaine. Sa mère — américaine — s'était installée dans les Appalaches du côté canadien, et Claire a passé une partie de son enfance dans une cabane en bois au bord d'un lac quelque part dans les Cantons-de-l'Est, j'exagère à peine, c'est un vieux prof du département qui m'a raconté ça... puis elle a partagé son temps entre le Québec et la France, s'est mariée et a divorcé là-bas, avant de revenir définitivement ici pour faire carrière. Pour notre plus grand malheur, de mon point de vue en tout cas.

Il reporta son attention sur la carte. Viande ou poisson ?

— Je pars à Vancouver, dit Todd. À la fin du mois.

Eric reposa la carte.

— À Vancouver ? Pour quoi faire ?

— Pour chercher du travail, répondit Todd. Avec la situation économique, c'est pratiquement impossible d'en trouver ici, et là-bas ils manquent d'ingénieurs dans mon domaine. J'ai obtenu mon diplôme de Richelieu il y a plus de six mois et je n'ai toujours rien. J'en ai assez d'attendre.

Eric cilla.

— Tu quittes Montréal pour de bon, alors.

— Oui.

De l'autre côté de la table, mais tellement étranger qu'il aurait déjà pu être à trois mille kilomètres, Todd le regardait, sans qu'aucune émotion paraisse sur son visage. Malgré tous ses efforts, Eric n'avait jamais réussi à le cerner, à le comprendre. Le plus frustrant, c'est qu'il avait parfois l'impression que Todd, de son côté, faisait lui aussi des efforts, sans plus de résultat.

— Ma mère ne veut pas que je parte. Mais je lui ai expliqué que je ne pouvais pas faire autrement.

— Et elle a compris? demanda Eric d'un ton plus sec qu'il ne l'aurait voulu.

— Je crois, oui.

Eric chercha une réponse cinglante, mais il vit le regard de Todd posé sur lui. Il y avait quelque chose d'un peu mouillé au fond des yeux noirs et Eric se sentit fondre. Il posa sa main sur celle de Todd.

— J'irai te voir.

— Je serai content.

Eric sentit la main de Todd venir serrer légèrement la sienne. Il dit :

— Je crois que je vais prendre un bon steak bien saignant, avec beaucoup de poivre. Et je... Merde, la reine-mère !

— La quoi ?

— L'abominable Lanriel des neiges. Elle vient d'entrer.

— Tu ne veux pas qu'elle nous voie ? Ça t'embête ?

— Non, c'est plutôt moi qui ne veux pas la voir !

Todd se retourna et dit :

— Elle est toujours aussi jolie.

— La beauté du diable, grogna Eric.

— Elle est avec une femme. Tu crois qu'elle est devenue lesbienne ?

Eric avala de travers et toussa.

— Ça, ça m'étonnerait.

Quelques tables plus loin, Claire ressentit un dégoût presque physique l'envahir en s'asseyant devant Nathalie. Comment Hughes avait-il pu l'épouser? se demanda-t-elle une fois de plus en regardant le visage de hamster pleurnichard de sa belle-sœur. Mais elle connaissait fort bien la réponse: leur mère avait consacré une énergie considérable à chercher une épouse à son fils et avait fini par trouver Nathalie, une beauté mollissante qui était à maints égards son propre portrait: geignarde et égoïste, peu intelligente mais très obstinée. Hughes avait résisté, puis cédé. Hughes avait toujours cédé à leur mère, il avait toujours cédé tout court. Même face à la maladie, il n'avait pas réagi et s'était laissé emporter sans se battre.

— C'est gentil à toi de t'être libérée, commença Nathalie de sa voix un peu nasillarde. Je sais que tu as un travail très important avec beaucoup de responsabilités. Hughes disait toujours que c'est très prestigieux d'être professeur d'université.

Claire sentit les poils de sa nuque se hérisser. Nathalie continuait, impavide:

— C'est vraiment dommage que tu sois trop occupée pour venir me rejoindre au chalet les fins de semaine. C'est très joli en cette saison, tu sais.

— Tu es prête à commander? la coupa Claire.

Le regard humide de Nathalie considéra la carte.

— Je vais prendre le poisson. Depuis la mort de Hughes, je ne mange plus de viande. Je crois qu'il mangeait trop de viande.

Claire eut soudain envie de la gifler. Elle prit une courte inspiration et se força à demander sur un ton de conversation normale:

— Ton travail, ça va?

— Oh oui, ça va très bien ! On est passés au télétravail : on traite les dossiers de sinistres chez nous et on n'a besoin d'être au bureau d'assurance qu'une ou deux fois par semaine. C'est commode, mais ça fait quand même du tracas supplémentaire. D'ailleurs, c'est pour ça que je voulais te voir. Je pense que je vais travailler au chalet à partir du printemps. Il va falloir faire des travaux.

Claire cligna des yeux.

— Des… travaux ? émit-elle d'une voix étranglée.

— Je pensais couper la grande pièce en deux pour faire un bureau devant la galerie. J'ai fait venir un entrepreneur et il dit que c'est possible pour pas trop cher. Je voudrais que tu viennes voir ce qu'il propose. La semaine prochaine, c'est la semaine de relâche ; tu pourras certainement te libérer une journée ?

Une bouffée de rage monta en Claire. Des travaux dans *son* chalet ? Du télétravail *chez elle* ? Cette méduse avachie installée dans *son* domaine ? Jamais — jamais. Mais elle ne pouvait pas affronter Nathalie directement. Pas tant qu'elle détenait le tiers de la propriété. Elle se força à dire calmement :

— J'ai beaucoup de travail ces temps-ci et je me libérerai quand je pourrai.

Nathalie fit une petite moue et poursuivit :

— Et puis, il y a le problème des voisins. Je voulais t'en parler.

— Les voisins ? Quels voisins ? Il n'y a personne, à part Simone et Édouard !

— Justement, le problème, c'est Édouard. L'autre jour, il est venu au chalet pour m'apporter le courrier. C'est sûr que c'est gentil de sa part de le ramasser quand nous ne sommes pas là, mais il est resté et je me suis sentie obligée de lui faire un café alors que j'avais du travail. Je lui ai fait de l'*instantané* pour qu'il comprenne bien que c'était

25

impoli de sa part de s'imposer. Et quand on a bu le café, j'ai eu l'impression qu'il me regardait de façon bizarre et il m'a demandé si je n'avais pas peur dans une maison isolée comme celle-là, et j'ai eu l'impression… Claire, j'ai eu l'impression qu'il avait des *envies*.

Claire regarda Nathalie avec stupeur. Elle connaissait Édouard depuis toujours, un ancien ingénieur d'Hydro-Québec qui avait construit son chalet dans les années 60 et s'y était définitivement installé avec sa femme à leur retraite. Édouard et Simone, qui n'avaient pas d'enfants, avaient pratiquement été un oncle et une tante d'adoption pour Hughes et elle au cours des étés de leur enfance au chalet. Nathalie continuait:

— J'ai été obligée de lui dire que je ne voulais plus qu'il vienne. Il n'était pas content, mais je crois que c'est mieux comme ça. Maintenant, je ferme la porte à clé. Et j'ai Milou.

— Milou?!

— Comme je pense que je vais passer beaucoup de temps au chalet, je me suis acheté un chien-loup. Il garde bien la maison et il aboie dès que quelqu'un approche. Tu verras, il est très efficace. Édouard ne vient plus. Il faudra que tu fasses attention avec ton chat.

Un chien?! Claire se sentit en plein cauchemar. Elle devait se débarrasser de Nathalie sans plus attendre. Pour cela, il n'y avait qu'une solution: voir Alexandra, qui détenait le dernier tiers du chalet, et la convaincre de le lui vendre. Mais pour cela il fallait qu'elle aille à Paris. Michel Berthier, le directeur du département, lui avait parlé d'une conférence qui se tenait là-bas après la semaine de relâche. Elle n'avait pas eu l'intention d'y aller — eh bien, elle s'y rendrait. Dans quinze jours, elle serait à Paris et réglerait une fois pour toutes cette question de chalet. Elle échafauda ses plans tandis que

Nathalie continuait à se plaindre de son travail, de ses amis, de ses collègues, de son garagiste, et de sa vie en général. L'entrecôte que Claire commanda s'avéra tendre à souhait, mais la présence de sa belle-sœur l'empêcha d'en profiter le moindrement. À peine eut-elle fini son café que, regardant sa montre, elle s'exclama : « Je suis en retard, j'ai une réunion ! » Elle promit à Nathalie de la rappeler et retourna en hâte à Richelieu.

* * *

Alors qu'elle se dirigeait vers son bureau, elle entendit une voix l'apostropher.

— Professeure Lanriel !

May Fergusson avançait vers elle, aussi mal fagotée que d'habitude dans son sweat-shirt informe. Elle s'approcha et Claire sentit une faible et désagréable odeur de tabac monter à ses narines.

— Oui ?

— On a encore des problèmes de chauffage, et les techniciens sont incapables de me dire à quel moment ils pourront réparer.

Claire haussa les épaules.

— Chaque hiver, c'est pareil.

— C'est particulièrement sérieux dans vos labos et vos bureaux du sous-sol. On ne peut pas travailler dans des conditions pareilles. J'ai pensé qu'on pourrait déplacer vos chercheurs.

— Les déplacer ? Mais le bâtiment est plein ! Où voulez-vous les mettre ?

— Dans la bibliothèque. La pièce est grande, et Christine Verlanges est d'accord. On pourrait installer une rangée de bureaux au fond, sous les fenêtres. Comme ça ils auraient des conditions de travail plus acceptables et…

— Hors de question, coupa Claire en levant la main. Ce serait une perte de temps pour leur travail, une perte de temps pour la recherche. Ils vont rester là où ils sont et ils s'habilleront chaudement jusqu'à ce que ce problème de chauffage soit réglé, c'est tout.

— Mais…

— Vous avez la charge du bâtiment et il est de votre responsabilité de vous assurer qu'il soit convenablement chauffé, siffla Claire. Mes étudiants relèvent de ma responsabilité et vous n'avez pas à vous en mêler.

Elle tourna les talons et partit. May murmura en anglais quelque chose de bref et vulgaire et plongea la main dans la poche de son jeans contenant son paquet de cigarettes.

* * *

Tandis que, réfugiée dans sa voiture, May Fergusson tirait furieusement sur sa cigarette, son patron, Michel Berthier, directeur du Département des matériaux de l'Université Richelieu, regardait d'un air morose une affiche intitulée LES DIFFÉRENTS ASPECTS DE LA MALADIE CARDIAQUE. Les pathologies étaient représentées en couleurs vives avec leurs symptômes et leur traitement, lorsqu'il y en avait un. Michel soupira. Il était assis depuis une heure sur une inconfortable chaise en plastique orange au fond d'un couloir éclairé par des néons. L'interminable série d'examens était enfin terminée et il allait connaître le verdict. Le choc initial avait été rude : les palpitations et douleurs qui l'avaient amené à consulter étaient liées au murmure d'une valve, lui-même provoqué par une possible hypertension artérielle primaire, dans le circuit cœur-poumons.

— Le traitement est assez draconien, avait dit le premier cardiologue. Greffe cœur-poumons. Cinquante pour cent de chances de survie.

Draconien, en effet! Mais les tests qu'il avait ensuite subis s'étaient avérés un peu moins alarmants, à en croire les techniciens qui actionnaient les machines.

— Monsieur Berthier, le docteur Weissman vous attend.

Michel se leva. Il approchait des soixante ans et n'était pas très grand. Assez élégant, il avait des cheveux gris soigneusement coiffés et un regard pensif. Il rejoignit le docteur Weissman dans son bureau. Le spécialiste avait des gestes précis et dégageait une impression rassurante de compétence. Il ouvrit son dossier et dit:

— Ça va bien. Vous avez une légère hypertension artérielle, stable, probablement d'origine congénitale. Les tests sont normaux. Vous n'avez pas à vous inquiéter.

— Et les palpitations?

— Du stress ou de la fatigue. Il n'y a aucune pathologie.

Quelques minutes plus tard, après s'être fait confirmer à plusieurs reprises par le docteur Weissman que tout allait bien, Michel quitta l'hôpital et se dirigea vers le métro. En route, il décida de prendre un café et s'assit dans un établissement poussiéreux où une chanson vaguement folklorique évoquait avec regret les hivers imaginaires d'un passé idéalisé. En commandant son café, Michel songea au futur. Le futur? Depuis qu'il était entré à l'Université Richelieu, trente ans auparavant, il ne s'était jamais vraiment donné le temps d'y réfléchir. Les années s'étaient succédé, les projets et la politique avaient fait leur œuvre, il s'était retrouvé directeur du département… et maintenant? Le moment était-il venu de penser à la suite des choses? Michel menait une vie calme et bien ordonnée entre son travail, sa collection de timbres, ses CD de jazz et quelques amis, même si la composante *travail* avait pris une place croissante ces dernières années. Alors? Tout le monde s'attendait à ce qu'il rempile pour un second mandat de directeur; mais continuer, c'était, au fond, la solution de facilité, c'était le train-train. Et s'il ne se représentait pas? Le moment était peut-être venu de chercher d'autres défis...

Le café était horriblement amer et Michel fit une grimace. Il n'avait pas échappé à une greffe cœur-poumons pour souffrir d'un ulcère d'estomac! Il y avait cependant un petit problème avec ses rêves de liberté. Quitter son poste de directeur maintenant aurait comme conséquence quasiment assurée de le confier à Claire Lanriel. Cela serait-il une bonne chose? Certes, Claire était ambitieuse, brillante, intelligente, et elle travaillait beaucoup... mais elle avait aussi d'autres traits de caractère beaucoup moins plaisants.

3

Dans un autre hôpital de la ville, plus à l'est, Monica
Réault se leva d'un bond en voyant son jeune frère Ricky
émerger, livide et chancelant, de la salle d'urgence.
Monica éprouva un mélange de soulagement — le médecin avait réussi à recoudre sa lèvre, qui pendait de façon
épouvantable lorsqu'elle l'avait emmené —, d'inquiétude — quel serait le résultat de sa prochaine dispute
avec Nancy? — et d'espoir — Ricky comprendrait-il *enfin*
qu'il fallait qu'il chasse cette fille de sa vie?

Ricky leva les yeux vers elle et Monica sentit sa gorge
se serrer. Son frère avait dans le regard la défiance entê-
tée qu'il adoptait chaque fois que la question était abor-
dée ou qu'il sentait qu'elle allait l'être. Malgré tout, il
ne protesta pas quand elle le prit par le bras. Il était
encore groggy — et c'était une très bonne chose. Ils tra-
versèrent les couloirs décrépits de l'hôpital et, en passant devant un miroir près de l'entrée, Monica aperçut
leur reflet. Ils étaient tellement semblables... les mêmes
cheveux foncés, longs et lisses — à grands frais — chez
Monica, courts et bouclés chez Ricky, les mêmes yeux
noirs, la même silhouette mince, le même nez bien droit,
la même bouche sensuelle... mais en quelques mois était
apparu entre eux un fossé qui n'avait cessé de s'élargir

jusqu'à devenir un abîme insondable. Qu'était-il arrivé à son petit frère ? se demanda Monica pour la millième fois. Ils sortirent du bâtiment et elle guida Ricky jusqu'à sa vieille Ford.

— Je te ramène puis j'irai travailler. Ça va aller ? Grand-père m'a dit qu'il serait de retour à la maison vers quatre heures.

Ricky hocha la tête, s'assit et mit la main dans la poche de son blouson — un superbe blouson de cuir italien que Nancy lui avait offert après une autre dispute, et qu'elle prétendait être une contrefaçon, mais que Monica croyait authentique, et volé — et en sortit un paquet de cigarettes tout plié. Monica le regarda et le désespoir lui étreignit la gorge. Ricky n'avait que dix-sept ans ! En quelques mois, il s'était transformé, sous ses yeux, d'adolescent gauche et timide à la vie sans histoire en un beau jeune homme qui couchait avec une fille nettement plus âgée que lui, une petite racaille liée aux gangs de rue et déjà connue des forces de police, et elle n'avait rien pu y faire. Ricky alluma un pétard et inhala une bouffée. Monica sentit l'odeur âcre monter à ses narines et elle serra le volant jusqu'à ce que ses articulations blanchissent. Elle détestait cette odeur, et elle y était devenue encore plus sensible depuis qu'elle avait cessé de fumer. Elle introduisit la clé dans le contact et dit aussi posément qu'elle put :

— Ricky…

Son frère continua à fumer. Il n'arrivait même pas à fermer les lèvres. L'extrémité du joint se tacha de rouge.

— Ricky…

— Quoi ? C'est bon pour la douleur. J'ai mal.

Monica ferma les yeux. Faire une scène ? Ne rien dire ? Cela reviendrait strictement au même. Elle avait tout essayé. Rien ne semblait fonctionner. Rien. Ricky était de plus en plus loin. Et maintenant, elle devrait affronter leur grand-père qui répéterait avec une insistance grandissante *Cette fois-ci, il faut vraiment appeler vos parents, il faut qu'ils reviennent.* Monica rouvrit les yeux et sentit les larmes couler sur ses joues.

* * *

Une heure plus tard, elle entrait, tout essoufflée, dans le bureau de Claire Lanriel, un bureau sobre, à l'ordre presque clinique, sans aucun détail personnel.

— Je suis désolée, je n'étais pas là ce matin, une urgence familiale…

Claire leva la main en un geste mi-négligent mi-agacé, qui signifiait « aucune importance, ne m'ennuie pas avec ça ». C'est vrai, Claire avait des défauts — tout le monde avait averti Monica lorsqu'elle avait commencé sa thèse avec elle —, mais au moins elle n'était pas chiante. Elle était dure, exigeante, elle pouvait même être cassante, mais, tant que les étudiants faisaient leur boulot, elle leur fichait la paix et leur laissait même plus la bride sur le cou que certains professeurs qui avaient pourtant meilleure réputation. Elle regarda Monica de ses yeux gris — de beaux yeux froids, à peine maquillés, allongés et limpides — et ses lèvres parfaitement ourlées de rouge prononcèrent :

— As-tu analysé le rendement de tes panneaux solaires ?

Il arrivait parfois à Monica de se demander si Lanriel se doutait de quelque chose. Elle-même avait été surprise : elle ne s'était jamais sentie attirée par une autre femme auparavant. Mais Claire Lanriel, c'était autre chose. Ce n'était pas exactement une attirance physique, ce qu'elle ressentait pour elle était plus brutal, presque primitif.

— J'ai fait les mesures vendredi soir avant de partir,

Claire prit les relevés qu'elle lui tendait et Monica ne put s'empêcher de regarder sa main, une main blanche, menue, avec des doigts fins et des ongles courts au vernis incolore. Claire lut pendant quelques secondes puis leva les yeux.

— Ces résultats sont bien. Ils sont même très bien.

— Oui, je... je suis assez contente. Ça n'a pas mal marché.

— Tu es trop modeste! C'est remarquable. Le rendement des panneaux solaires du commerce ne dépasse guère 25 %, mais, en appliquant cette couche de semi-conducteur sur la cellule photovoltaïque, tu arrives à 40 %... C'est très bien, vraiment très bien. On se rapproche de plus en plus du moment où l'électricité produite par l'énergie solaire deviendra bon marché, et nos travaux contribuent à ces progrès! Recommence l'expérience pour confirmer les résultats.

Monica ne répondit pas et se dandina, un peu mal à l'aise. Elle était toujours debout, Claire invitait rarement les gens à s'asseoir.

— Il y a un problème? demanda Claire.

— Euh, non, c'est que... c'est qu'il y a quelque chose que je ne comprends pas.

— Quoi?

— Eh bien... eh bien, j'ai raté une série de mes expériences. Par accident, je me suis trompée de conditions pour appliquer la couche à la cellule photovoltaïque. En la regardant au microscope, au lieu d'avoir une couche bien lisse et bien uniforme, elle était toute striée, comme du métal brossé. Et le rendement... le rendement électrique était supérieur à 50 %.

Claire se redressa.

— Supérieur à 50 %? C'est impossible.

— Je vous assure... J'ai raté une série au complet, cinq cellules photovoltaïques, avant que je m'aperçoive de mon erreur. Et le rendement de chacune d'entre elles est supérieur à 50 %.

Elle lui tendit un autre feuillet. Claire devint parfaitement immobile. Monica pensa à un chien de chasse qui tombe en arrêt devant un terrier. Elle se retint de rire. Pourquoi cette image idiote lui venait-elle à l'esprit?

— Pourrais-tu reproduire cette expérience ratée? Dans les mêmes conditions? demanda Claire.

— Oui, j'ai tout noté. Vous croyez que…

— Je ne crois rien. Je veux être sûre, c'est tout.

Monica hocha la tête. Elle salua Claire et tourna les talons. En passant la porte du bureau, elle se retourna et dit:

— En tout cas, si grâce à mon erreur on arrive à un rendement de 50 % sur les panneaux solaires, c'est la Northern Energy qui va être contente!

Claire, qui s'était penchée vers le papier de résultats que Monica venait de lui donner, se figea.

— Pourquoi seraient-ils contents?

— Mais parce que…

— Ferme la porte.

Monica s'exécuta et Claire reprit:

— Il n'est pas souhaitable de leur parler de ces nouveaux résultats. En fait, tu ne dois rien dire à leur sujet, même si — surtout si — de nouvelles expériences les confirment.

— Mais je travaille pour eux! Ils financent ma thèse!

— Non. Tu travailles pour l'Université Richelieu.

— Mais…

— Monica, la Northern Energy finance tes travaux, dont le but est d'évaluer l'effet d'une couche *lisse* de semi-conducteur sur le rendement énergétique de leurs panneaux solaires. Ce nouveau concept — une couche *striée* — n'a rien à voir. C'est nouveau, c'est différent, et ça ne leur appartient pas. Ce serait une grave erreur de les impliquer là-dedans.

Monica ne répondit pas. Cette distinction entre lisse et strié lui paraissait discutable. Après tout, c'était toujours la même couche, étalée sur les panneaux solaires comme on étale de la confiture sur du pain ! Monica s'aperçut soudain qu'elle avait faim — à cause des sottises de Ricky elle avait dû sauter le repas. En fait, songea-t-elle, la couche de semi-conducteur ressemblait plutôt à du glaçage sur un gâteau, bien lisse et bien plat. Sauf que, dans ses expériences ratées, le glaçage en question semblait avoir été rayé à grands coups de fourchette... Claire poursuivait :

— Il s'agit très probablement d'une erreur de mesure. J'ai du mal à croire qu'on puisse franchir ainsi le cap des 50 % de rendement sur ces panneaux solaires. Mais si cela s'avère exact, cela ouvrirait de nouvelles possibilités très intéressantes pour toi. Si ces résultats sont confirmés, nous pourrions demander une subvention au CNRC* pour poursuivre dans cette direction, ce qui pourrait signifier une augmentation significative de ton salaire pour la fin de ta thèse, et un poste de chercheur ici par la suite. Mais pour cela, il faut d'abord vérifier les résultats que tu viens d'obtenir et il faut que tu décrives chaque étape de fabrication de la façon la plus précise possible : tous les paramètres, toutes les données expérimentales, toutes les étapes intermédiaires. Note soigneusement tout ça et apporte-le-moi.

Une augmentation de salaire ? Un poste de chercheur après sa thèse ? C'était presque incroyable ! Monica se sentit gonflée de joie.

— D'accord, je... je comprends. Je ne dirai rien.

---

* Centre National de Recherche du Canada.

Elle sortit du bureau, la démarche allègre. Claire la regarda partir, l'air pensif, puis posa la main sur les résultats.

* * *

Quelques instants plus tard, Monica arrivait dans son laboratoire, une petite pièce où elle travaillait seule. Il y faisait un froid de canard. Elle alluma son ordinateur, prit son cahier de labo et commença à relire les notes de la manip' de la semaine précédente, mais ses yeux quittèrent rapidement le cahier. Elle repensa à la promesse de Claire — une augmentation de salaire! Elle pourrait enfin envoyer sa vieille Ford à la casse et acheter une voiture neuve. Une petite auto...

Il y avait une autre chose qu'elle pourrait faire si elle gagnait un peu plus. Elle pourrait quitter la maison de Pointe-aux-Trembles et prendre un appartement au centre-ville. Mais cela signifiait laisser Ricky et grand-père seuls. Ils ne se parlaient pratiquement pas — Ricky ignorait son grand-père et ce dernier ne comprenait plus son petit-fils depuis longtemps. «Je ne connais pas la moitié de son vocabulaire», avait-il un jour confié à Monica. Monica parvenait encore à établir un semblant de dialogue avec son frère, si Ricky n'était pas stone, s'il ne s'était pas disputé avec Nancy, si tous les sujets qui fâchent étaient soigneusement évités... Monica comprit soudain qu'elle en avait assez. Assez de subir les caprices de son frère, assez de l'impuissance de leur grand-père, assez de l'enfer qu'était devenue leur maison, et, surtout, assez de la désinvolture de leurs parents qui étaient depuis de longs mois occupés à gagner beaucoup d'argent sur une plate-forme au large de la Norvège et n'avaient de toute façon jamais été particulièrement

enclins à s'occuper de leur progéniture. Immédiatement la culpabilité l'envahit. Elle ne pouvait pas s'en
aller : que deviendrait Ricky ? Il était bien capable de
partir avec Nancy pour mener Dieu sait quelle vie qui
le conduirait Dieu sait où, mais qui aboutirait certainement à quelque chose de plus grave que quelques points
de suture à la lèvre inférieure. *Au fond, ce ne serait peut-
être pas si grave que ça,* avait dit un jour leur grand-père,
las de l'insubordination de son petit-fils. *Qu'il fasse ses
expériences !* Mais Monica n'était pas d'accord, elle devait
continuer à veiller sur lui, à faire tout ce qu'elle pouvait
pour lui éviter le pire. Pourtant, un petit appartement,
bien à elle, pas trop loin de l'université, ce serait tellement agréable... elle pourrait inviter Claire Lanriel à
venir y prendre le thé, un jour... avec de la musique de
harpe ou de piano, ou celtique, quelque chose de léger
et de tendre à la fois...

Monica se sentit rougir jusqu'à la racine des cheveux.
Elle ne devait pas — elle ne *devait* pas — penser à ça.
C'était trop dangereux. C'était impensable. C'était... la
porte s'ouvrit. Monica sursauta et Claire Lanriel attaqua
sans préambule :

— J'ai fait des photocopies des résultats que tu m'as
donnés à l'instant. Je t'en laisse un exemplaire.

Claire s'interrompit, la regarda plus attentivement et
demanda :

— Ça ne va pas ? Ton urgence familiale ?

— Oui... enfin non, je... il y a quelques problèmes,
mais rien de très sérieux...

Claire lui lança un de ses rares sourires.

— Tu sais, Monica, j'ai compris il y a longtemps que,
dans la vie, il n'y a qu'un moyen vraiment efficace
d'oublier ses problèmes : le travail.

Monica sentit son estomac devenir lourd. Elle bafouilla :

— Oui, je... enfin, je suppose. D'ailleurs, je voulais vous dire... je pense que je vais devoir prendre quelques jours de vacances la semaine prochaine.

Les narines de Claire se pincèrent un bref instant, mais elle dit simplement :

— Dans ce cas, je te demanderais de boucler avant de partir cette expérience dont nous avons parlé. Ce rendement de 50 %...

— Pas de problème, se hâta de répondre Monica.

Claire se pencha vers elle et de la main lui effleura l'épaule.

— Monica, ces résultats, c'est un grand jour ! Peut-être le début d'un nouveau projet que nous mènerons ensemble. Il faut le marquer comme il se doit. J'ai daté et signé l'original que tu m'as donné. Fais la même chose. Je vais l'afficher dans mon bureau, nous aurons un souvenir !

Monica obéit. Claire Lanriel repartit avec la feuille datée et signée, satisfaite.

* * *

Il était dix-sept heures quinze lorsque Christine Verlanges termina la sauvegarde de l'index de la bibliothèque, qui s'était avérée plus longue que prévu. Ce n'était pas grave : elle devait rester en ville puisqu'elle avait le Groupe à dix-neuf heures. Elle enfila ses bottes et son manteau, prit son sac et, au moment de sortir, se souvint qu'elle avait laissé dans l'arrière-salle un paquet de café acheté à l'heure du déjeuner. Elle se rendit dans la petite pièce, prit le café, et entendit la porte de la bibliothèque s'ouvrir et des talons claquer. Elle jeta un coup d'œil et aperçut des jambes fines, un tailleur gris cintré, et des cheveux blonds. Claire Lanriel, de dos, consultait un dictionnaire. À pas de loup, Christine battit en retraite. Elle n'aurait qu'à attendre une ou deux minutes, jusqu'à ce que Claire s'en aille. Elle ne tenait pas à la croiser et encore moins à lui dire bonsoir. Puis elle entendit la porte s'ouvrir à nouveau. Quelqu'un d'autre venait d'entrer.

— Ah, Claire, je vous cherchais.

Le professeur Eric Duguet. Christine recula encore.

— Oui?

— J'ai lu votre rapport d'avancement sur le projet Wing 3000. Il est inacceptable en l'état.

— Vraiment? Contient-il des erreurs techniques?

— Non. Seulement, vous omettez d'attribuer la provenance des travaux qui ont été effectués par l'équipe de Gatwick ou par la mienne. Vous vous contentez de présenter nos résultats.

— Je vous l'ai dit, c'est un travail d'équipe. Il n'est pas nécessaire d'expliciter qui a fait quoi.

— Vous ne vous privez pourtant pas de souligner toutes les contributions de votre propre équipe. À lire ce document, on a presque l'impression que c'est vous qui avez tout fait.

— Rien ne justifie une affirmation pareille.

— Ne me prenez pas pour un imbécile! Tout ce que vous écrivez là-dedans est exact, mais complètement biaisé.

— Je vous rappelle que vous n'avez pas élevé d'objection lorsque, au début du projet, il m'a été confié la tâche de rédiger ces synthèses. De toute façon, il est trop tard. Je vous avais donné jusqu'à dix-sept heures pour me transmettre vos commentaires et il est dix-sept heures dix. J'ai remis ce document à Michel Berthier. La prochaine fois, soyez à l'heure.

Il y eut un silence et Christine se recroquevilla encore un peu plus contre le mur. Puis Eric Duguet dit, d'un ton étonnamment calme:

— Un jour, professeur Lanriel, quelqu'un vous fera la peau.

Nouveau silence, plus court, suivi de pas qui s'éloignaient. Christine entendit ensuite des talons qui claquaient et la porte que l'on fermait. Mais elle dut attendre plusieurs minutes, appuyée contre le mur de la réserve, que les battements violents de son cœur se calment. Puis elle sortit à son tour.

Vingt minutes plus tard, encore secouée, elle se retrouva devant une salade de crudités dans un café de l'avenue du Parc. Elle ouvrit le livre qu'elle lisait en ce moment — *Les liaisons dangereuses* — mais elle le referma rapidement, incapable de se concentrer. Comment Claire Lanriel pouvait-elle traiter ainsi un autre professeur, qui était pourtant son égal ? Elle n'avait pas de limites ! Devait-elle en parler pendant le Groupe, dire combien cela l'avait choquée ? Heureusement qu'elle avait trouvé le Groupe pour la soutenir, et surtout le docteur Rhys, il lui avait fait comprendre tellement de choses…

Elle l'avait rencontré quelques mois plus tôt, de façon un peu étrange, comme si le destin l'avait voulu. L'année précédente, elle s'était inscrite à un cours de bridge, non pas que le jeu l'attirât particulièrement, mais pour rencontrer des gens, elle qui ne voyait personne en dehors de son travail. Au début, tout s'était bien passé, elle avait fait des progrès rapides et s'était même surprise à aimer ça. Puis un jour leur professeur, jugeant que ses élèves étaient assez avancés, les avait inscrits à un tournoi. Christine s'était retrouvée sous les néons d'une immense salle dans un Holiday Inn près de l'aéroport, avec quarante, cinquante, peut-être soixante tables de bridge, des dizaines d'inconnus qui savaient jouer et qui jouaient pour gagner, et elle s'était effondrée dès la première partie, paralysée, oubliant ce qu'elle avait appris, mélangeant ses enchères, incapable de suivre le jeu de la carte, sous le regard surpris et de plus en plus impatient de son partenaire; ils étaient arrivés bons derniers, et Christine s'était juré de ne plus jamais jouer aux cartes, de ne plus jamais suivre un cours. Elle s'était esquivée, larmes aux yeux, sans saluer ses compagnons, elle ne voulait plus les voir, elle avait trop honte, et elle s'était retrouvée dans le parking, se demandant comment rentrer chez elle, c'était son partenaire qui l'avait emmenée, mais elle préférait mourir plutôt que de reparaître devant lui, comment faire, il y avait bien le bus, mais le samedi il ne passait pas souvent, ou le taxi, mais c'était cher…

— Je peux te déposer quelque part, Christine?

Elle avait sursauté en voyant surgir entre les voitures la silhouette sombre de Katya Quelque Chose — Christine ne se souvenait pas de son nom de famille. Katya suivait aussi des cours de bridge au club, mais au niveau avancé, et Christine ne l'aimait pas beaucoup. Katya avait une quarantaine d'années, les cheveux teints en roux, et la peau épaisse des gens qui ont trop bu, trop fumé ou trop pris le soleil. Elle était toujours vêtue de cuir noir et dégageait une odeur puissante de parfum coûteux.

— Je vais au centre-ville, je peux te laisser à une station de métro.

Christine avait hésité, mais l'offre était vraiment trop tentante, et elle l'avait suivie jusqu'à sa voiture, une grosse berline allemande. Et Katya avait parlé:

— Je me souviens de mon premier tournoi. Tout au début, j'ai chuté un trois sans-atout inchutable et j'ai été incapable de continuer à jouer. J'ai abandonné mon partenaire en plein milieu de la partie suivante et je n'ai plus touché aux cartes pendant des années.

Christine l'avait regardée, très surprise. Katya ne ressemblait pas du tout à quelqu'un qui abandonne quoi que ce soit. En fait, elle ressemblait plutôt à un cheval qui n'a pas encore trouvé d'obstacle assez haut.

— J'étais différente quand j'étais plus jeune, poursuivit Katya. J'avais des problèmes... d'origine familiale.

Une conversation assez décousue avait suivi, au cours de laquelle Katya avait évoqué d'autres souvenirs qui ne correspondaient absolument pas à l'image de char d'assaut que Christine avait d'elle. En la déposant au métro Lionel-Groulx, Katya avait ouvert son sac et pris une carte de visite qu'elle avait tendue à Christine entre ses doigts aux longs ongles recourbés et peints en rouge sombre.

— Le docteur Rhys m'a beaucoup aidée. Peut-être pourra-t-il t'aider à retrouver ta confiance en toi... et surtout, t'aider à comprendre *pourquoi* tu l'as perdue.

Christine avait hésité, mais finalement elle n'avait pas contacté ce docteur Rhys. Tout cela lui paraissait très bizarre, mystérieux — peut-être même un peu inquiétant. Plusieurs mois avaient passé. Mais le jour où Claire Lanriel avait parlé de fermer la bibliothèque, elle était rentrée chez elle en proie à la panique et sur un coup de tête avait cherché la carte, avait fini par la trouver, heureusement qu'elle ne jetait jamais rien, et avait appelé sans trop savoir à quoi s'attendre, ni quoi dire. La jeune femme qui lui avait répondu n'avait pas paru troublée et lui avait simplement donné la date de la prochaine réunion du Groupe.

— Nous offrons la première visite. Vous pourrez ainsi juger de la méthode du docteur Rhys.

Christine regarda sa montre. Il était temps de partir, il ne fallait pas qu'elle soit en retard. Elle vérifia encore qu'elle avait les deux billets de cinquante dollars dans son portefeuille. Ce n'était pas cher payé pour les réunions du Groupe et surtout pour l'intervention du docteur Rhys. Quand le docteur Rhys parlait, tous les problèmes semblaient disparaître et pour la première fois Christine voyait enfin un espoir de trouver la sérénité qui lui avait toujours manqué. Mais pour l'atteindre, il fallait une vraie thérapie, il fallait des séances privées, et elle hésitait encore — elle craignait, sans trop se l'avouer, ce que le docteur Rhys pourrait lui révéler sur elle-même. À quel prix lui serait facturé le bonheur? Mais personne ne la forçait. Comme l'avait dit un jour le docteur Rhys, et cette phrase s'était gravée dans l'esprit de Christine: «Il ne faut pas brusquer les choses. La guérison doit venir de l'intérieur, et elle attend son heure la plus favorable. Lorsque vous saurez, Christine, que le moment est arrivé, vous viendrez à moi et ensemble nous irons dans votre passé trouver les causes de ce qui vous tourmente aujourd'hui.»

4

Le mardi matin, à huit heures quinze, Michel Berthier entra dans le réduit à côté du bureau de May Fergusson, où se trouvaient la photocopieuse et les casiers de courrier. Il aperçut dans son casier une enveloppe blanche. Elle était dépourvue de timbre, et sans indication de provenance. Il y était écrit au feutre bleu, en grosses lettres manuscrites : DIRECTEUR MICHEL BERTHIER. Michel posa la revue qu'il voulait photocopier et prit l'enveloppe, l'ouvrit et déplia la feuille qu'elle contenait. Il lut le texte, également en grosses lettres manuscrites bleues :

Claire Lanriel a truqué les résultats de sa thèse. Regardez les photos.

— Eh bien ! s'exclama-t-il.

Il replia la feuille et la remit dans l'enveloppe. Puis il photocopia son article ; mais son visage était soucieux. Il ressortit du réduit et descendit à la bibliothèque. Avec l'aide de Christine Verlanges, qui était toujours là très tôt, il trouva la thèse de Claire, puis remonta à son bureau, chaussa ses demi-lunes et commença à lire. Peu avant neuf heures, on frappa à sa porte et il vit apparaître la tête d'Eric Duguet dans l'entrebâillement. Michel referma la thèse.

— On a une réunion du projet Wing 3000 demain matin, dit Eric.

— Je sais, répondit Michel. J'ai vu la note de Claire.

— Allez-vous y participer ?

— Je ne le pense pas. Les réunions techniques ne sont pas de mon ressort.

— Ces réunions vont bien au-delà de la technique, grogna Eric.

Michel sentit naître une pointe de curiosité en lui. Que voulait Eric ? Il chercha un instant dans le fouillis de son bureau et en sortit un épais document à couverture verte.

— Claire m'a remis ce rapport hier soir. Le projet semble aller parfaitement bien, non ?

Eric prit le document et le feuilleta d'un air légèrement distant.

— Effectivement, ça avance. Nous allons bientôt lancer la deuxième phase.

Le visage d'Eric était fermé et Michel crut en deviner la cause. Il demanda :

— Aurais-tu par hasard des motifs de te plaindre de Claire Lanriel ?

Hésitant, Eric se mordit la lèvre inférieure.

— Eh bien, je trouve qu'elle a parfois tendance à exagérer sa contribution à des travaux qui sont collectifs. Notamment dans les rapports qu'elle rédige. Par exemple dans celui qu'elle vous a remis hier soir. Tout ce qu'a fait son équipe est soigneusement consigné, souligné et attribué. Les travaux de Gatwick et les miens sont présentés de façon parfois un peu plus elliptique.

Michel ôta ses demi-lunes :

— Claire Lanriel est une scientifique brillante, qui est également experte dans l'art de jouer des coudes. Il faut peut-être recadrer tout ça. J'assisterai à votre réunion demain matin.

Le soulagement se lut sur le visage d'Eric qui prit congé et sortit. Laissé seul, Michel ouvrit un tiroir de son bureau et après quelques secondes de recherche y trouva une loupe. Il passa un long moment à examiner les détails des photos dans la thèse de Claire Lanriel. Il se demanda s'il y avait un lien entre Eric Duguet et la lettre anonyme qu'il venait de recevoir.

* * *

Lorsqu'elle était rentrée chez elle la veille, encore tout heureuse des compliments de Claire Lanriel et de sa promesse d'augmentation de salaire, Monica avait été accueillie par son grand-père avec une douche froide.

— Ricky vient de partir. Nancy est passée le prendre.

— Après leur dispute ? !

— Oui... et elle était encore plus amochée que lui.

Grandiose, avait pensé Monica. Qui les séparera, la prochaine fois ? La police, les ambulanciers ou le corbillard ? Mais voyant l'air las de son grand-père, elle n'avait rien ajouté. Ils avaient passé la soirée devant la télé, à avaler des séries américaines qui ennuyaient Monica à mourir.

Au matin, Monica sut en se réveillant que Ricky n'était pas revenu dormir à la maison. Elle avait le sommeil léger, elle l'aurait entendu rentrer.

— Le café est prêt, dit son grand-père en la voyant arriver dans la cuisine. Tu as bien dormi ?

Monica marmonna une réponse vague, bâilla et se servit un grand bol de café.

— J'ai fait des progrès dans mon travail. Ma boss parle d'une augmentation de salaire.

— C'est très bien.

— Si je gagne plus d'argent, j'ai pensé que je pourrais peut-être prendre un appartement en ville. Ce serait plus commode, et je pourrais aller travailler en métro. Ici, c'est vraiment loin.

Son grand-père tartinait de margarine des tranches de pain de mie grillées, toutes de la même façon, trois passages du couteau, droite-gauche-droite, avant de les poser soigneusement sur une assiette. Il portait une chemise jaune pâle bien repassée, au col impeccable, et une étroite cravate marron assortie à sa veste. Monica se demandait parfois où il trouvait des vêtements aussi démodés. Il posa la dernière tranche de pain de mie sur le bord de l'assiette.

— Je vais prévenir tes parents et leur dire que Ricky a choisi de quitter le nid. Il faut qu'ils le sachent.

Mais ils s'en foutent! Puis elle pensa, un peu coupable, que c'était exagéré. Disons qu'ils préféraient suivre ça d'assez loin. Et si cette histoire les forçait à rentrer de Norvège, que diraient-ils? *Tu t'es toujours bien entendue avec ton frère, Monica. Comment as-tu pu laisser les choses se dégrader à ce point depuis notre départ?* Non, vraiment, ce n'était pas une bonne idée. Comme elle serait tenue responsable, autant essayer de régler le problème.

— La semaine prochaine, c'est la relâche, et j'ai demandé à Claire quelques jours de vacances. J'emmènerai Ricky skier au Mont-Tremblant. Ça lui changera les idées. Je lui parlerai.

Son grand-père ne répondit rien, mais il lui sembla qu'il haussait légèrement les épaules. Agacée, Monica consulta son mobile et s'aperçut qu'elle était presque en retard. Elle finit son café à grandes gorgées qui lui brûlèrent la bouche puis se leva de table, retourna dans sa chambre, y prit ses affaires et partit.

Quarante minutes plus tard, elle arriva dans son bureau — toujours aussi glacial —, ferma la porte et se prit la tête entre les mains. Lorsqu'elle fermait cette porte, ses problèmes personnels devaient rester derrière. Il ne fallait pas que les sottises de Ricky viennent troubler son travail. Elle se força à réfléchir à la demande de Claire, recommencer l'expérience dans les mêmes conditions et vérifier le rendement du panneau solaire. La composition du solvant était un problème délicat, la température aussi, ainsi que la vitesse de séchage... En regardant ses résultats, Monica comprit peu à peu qu'elle était tombée tout à fait par hasard sur des conditions quasi idéales. Elle aurait pu y passer dix ans et ne rien trouver. Au moins, songea-t-elle avec une satisfaction douce-amère, mon travail me sourit.

***

La fenêtre «Installation terminée» s'ouvrit sur l'écran de l'ordinateur de May Fergusson et Eric Duguet poussa un soupir de soulagement.

— Ça y est. Le nouveau gestionnaire des bons de commande est en place. Vous allez pouvoir à nouveau transmettre vos demandes d'achat à la faculté.

— Merci, professeur Duguet. C'est très gentil à vous d'avoir pris le temps de me mettre à jour. Si j'avais dû attendre que leur technicien vienne tout m'installer...

— Oh, avec un peu de chance, il serait venu la même année que le réparateur du chauffage ! Mais ne répétez pas que je vous ai aidée, il y a des gens pour qui je n'ai pas vraiment envie de le faire.

Il lui fit un clin d'œil et elle esquissa un sourire en retour ; ils s'étaient parfaitement compris. Il sortit et May reprit son travail.

Elle travailla jusqu'à dix heures du soir ; puis elle rangea ses dossiers, éteignit les lumières, traversa le bâtiment désert et descendit jusqu'au parking. Installée dans sa Range Rover — elle avait pris soin de faire démarrer le moteur quelques minutes auparavant et la voiture était bien chaude —, elle alluma une cigarette et reprit l'écoute du *Vaisseau fantôme* qu'elle avait entamée en venant à Richelieu, en fin de matinée.

May était un oiseau de nuit ; elle ne se couchait jamais avant trois ou quatre heures du matin et ne dormait profondément qu'après le lever du soleil. Ses patrons successifs à Richelieu l'avaient laissée tranquille ; les universités se piquent d'abriter des gens originaux et elle avait toujours fait convenablement son travail. Elle était aussi capable de suivre — à titre exceptionnel — des horaires normaux lorsqu'il le fallait. Elle tira sur sa cigarette. La retraite était proche. Encore quelques années et elle pourrait partager son temps à sa guise entre le sud de la France et sa maison à l'extrême ouest de l'île de Montréal, la vieille ferme familiale du XVIIIe avec des murs de pierre de plus d'un mètre d'épaisseur.

Mais un ennui menaçait de troubler la sérénité de ses dernières années à Richelieu : Claire Lanriel, toujours prête à remplacer ce qui marchait par ce qui ne marchait pas, avait indiqué sans ambiguïté qu'elle n'acceptait pas les horaires inhabituels de May et qu'advenant sa nomination à la tête du département elle y mettrait bon ordre. L'été précédent, pendant les congés de Michel Berthier, elle avait même manigancé pour déplacer les réunions du personnel du vendredi après-midi au lundi matin à huit heures trente, jusqu'à ce que le directeur revienne et les repousse à dix heures trente. Claire Lanriel était une authentique nuisance. Et, pensa May, je suis trop vieille pour supporter les nuisances.

5

Dans la nuit de mardi à mercredi, une tempête de neige s'abattit sur la ville. Todd avait dormi chez Eric et le vacarme des déneigeuses les réveilla à six heures du matin.

— Il faut que je me lève, chuchota Eric à l'oreille de Todd. Dieu sait combien de temps ça va me prendre pour arriver à Richelieu, ce matin.

Il entra dans la salle de bains et eut un léger choc en voyant son reflet à la lumière blafarde du néon. Il avait peu dormi, et ça se voyait. Il approchait de la quarantaine, et ça se voyait aussi. Il haussa les épaules.

— Trop tard pour mourir jeune. Tant qu'à faire, vivons vieux, murmura-t-il.

Il passa sous la douche et la régla au plus chaud qu'il pouvait supporter. Cette nuit avec Todd serait sans doute une des dernières et il éprouvait un curieux sentiment de vide. Il n'avait jamais vraiment eu de relation stable auparavant : quelques liaisons brèves, parfois intenses, mais rien de vraiment sérieux. Et Todd, en quelques semaines de rencontres clairsemées, avait pris dans sa vie une place étonnante et avait créé quelque chose de nouveau, un besoin inconnu et attirant... Mais Todd avait dix ans de moins que lui. Quelle idée, pensa Eric, voilà que je raisonne comme un bourgeois hétéro! Le rideau de la douche fut soudain tiré et Eric sursauta, mais ce n'était que Todd qui venait le rejoindre.

* * *

Deux heures et demie plus tard, Eric entrait, encore un peu songeur, dans la salle de réunion du département. Hubert Gatwick et Michel Berthier étaient déjà là, autour d'une cafetière fumante. Eric se servit une tasse et lança à la cantonade:

— Eh bien, nous sommes presque au complet!

— Presque, fit Gatwick d'un ton un peu sec.

Claire Lanriel entra et leva légèrement les sourcils lorsqu'elle découvrit Michel. Elle posa un lourd dossier sur la table et s'assit.

— Eh bien, maintenant que nous sommes *vraiment* au complet, dit Michel, nous pouvons commencer.

— De grands progrès ont été accomplis dans la conception finale des ailes, déclara Claire. Mon équipe...

— Je vous laisse les détails techniques, coupa Michel, je suis ici pour parler stratégie. Avons-nous fait suffisamment de progrès dans le développement de notre aile d'hélicoptère pour déposer une demande de brevet?

Décontenancée, Claire répondit:

— C'est prématuré.

— Les autorités de la faculté sont dans tous leurs états, reprit Michel, car les professeurs du département de physique se sont fait griller sur le fil, à quelques semaines près, par un scientifique allemand qui a déposé avant eux une demande de brevet pour un système de stockage informatique basé sur le spin des électrons. De quoi multiplier par dix la capacité des mémoires d'ordinateur, et surtout de quoi générer des millions de dollars en royalties. La faculté est devenue un peu paranoïaque et elle exige que la priorité la plus absolue soit consacrée à la protection de notre propriété intellectuelle. Cela concerne tous les projets susceptibles d'application commerciale, et le vôtre est un candidat idéal! Il nous faut donc organiser une réunion avec les avocats de Richelieu le plus rapidement possible. Pouvez-vous me rédiger un document établissant l'état des lieux du projet Wing 3000, qui servira de base à cette rencontre?

Hubert Gatwick et Eric Duguet opinèrent de la tête. Claire regardait Michel avec une certaine méfiance. Ce dernier enchaîna:

— Puisque nous sommes là-dessus, autant régler la question du partage des éventuelles royalties provenant du futur brevet. Vous savez que l'université garde 25 %, le département 10 %, et vous, les professeurs, partagez — avec vos chercheurs — les 65 % restants. Un tiers pour chaque équipe?

Il y eut un bruit provenant de la gorge de Claire Lanriel. Eric Duguet ne chercha pas à dissimuler un large sourire et Hubert Gatwick parut soudain très heureux.

— Nous n'avons aucune raison de décider d'un partage maintenant, dit Claire d'un ton glacial. Personne ne peut prédire ce que seront en bout de ligne les apports respectifs de nos équipes.

Michel écarta légèrement les mains.

— Les avocats sont des gens qui ont horreur du flou, surtout quand des sommes aussi importantes sont en jeu. Ils voudront connaître ces chiffres. Si j'en juge par les rapports techniques qui m'ont été transmis, vous avez tous les trois des rôles d'importance similaire. Un partage égal présente par ailleurs l'avantage de la simplicité.

— La simplicité n'est pas un facteur à considérer, et je conteste votre évaluation de nos contributions. Il est évident que...

— Je suis d'accord avec Michel, coupa Eric. Mon équipe s'occupe de la forme des ailes, celle d'Hubert de leur structure interne, celle de Claire du revêtement. Trois contributions nécessaires, chacun apportant ses compétences. Ça ne bougera pas.

— Des contributions nécessaires ne sont pas forcément égales, dit Claire d'une voix qui commençait à se crisper. La question du revêtement de l'aile est cruciale et demandera des efforts énormes à mes chercheurs.

— Ils y sont habitués, murmura Eric, s'attirant un froncement de sourcils de Michel.

— Il me semble, intervint Hubert Gatwick, que nous sommes tous les trois associés sur ce projet, sans qu'aucun ne soit… euh… *subordinated* aux autres. Le partage en parts égales est donc logique. Je suis pour.

— J'y suis totalement opposée, répliqua Claire. Mon équipe apporte la contribution la plus importante, le dernier rapport l'indique très clairement.

— Bonté divine, c'est vous qui l'avez rédigé ! s'exclama Eric.

— Je suis la coordonnatrice du projet et je…

— Ne confondez pas coordonner et ordonner !

— Hmm, hmm, fit Michel.

Les autres se turent. Le directeur du département continua doucement :

— Voilà pourquoi je mets cette question sur le tapis aujourd'hui. Je ne veux pas que cette scène se déroule lors de notre première rencontre avec les avocats. Avant toute chose, nous devons trouver un accord sur ces royalties. Si nous n'y parvenons pas, je préviendrai le doyen de la faculté ainsi que le vice-principal, qui tenteront un arbitrage.

— Ce n'est peut-être pas la peine d'aller jusque-là, dit Eric.

— L'administration est là pour qu'on s'en serve.

Claire redressa le torse et leva le menton.

— Je n'accepterai pas qu'on m'impose une décision.

— C'est votre droit, dit Michel. Faute d'entente, la hiérarchie recommandera sans doute un arrêt immédiat de toutes les activités sur le projet.

Il y eut un silence. Michel reprit, en parlant plus lentement :

— Une demande de brevet international coûte au bas mot cent mille dollars. La faculté n'engagera pas une telle somme si elle n'a pas la certitude que les professeurs impliqués sont prêts à jouer le jeu dans l'harmonie et la confiance. Le temps presse. Faites-moi connaître votre décision le plus rapidement possible.

Il se leva. En sortant, il se retourna et dit d'un ton négligent :

— J'oubliais, Claire. J'ai parlé à May Fergusson et à Christine Verlanges, et nous avons réglé le problème de vos étudiants contraints de travailler dans un réfrigérateur. Ils vont s'installer provisoirement au fond de la bibliothèque. Le déménagement aura lieu la semaine prochaine, quand il y aura moins de monde dans le bâtiment à cause de la semaine de relâche. Maintenant, si vous voulez bien m'excuser...

Et il partit. Eric se tourna vers Claire, un peu goguenard.

— Eh bien, il semble que la science doive s'incliner une fois de plus devant la finance. Nous voilà contraints de parler d'argent.

— Je vous ferai part de mes commentaires, lâcha Claire en se levant.

Elle rassembla ses dossiers et quitta la salle sans rien ajouter d'autre. Gatwick attendit que la porte se referme :

— Un à zéro. Maintenant c'est à nous de jouer. La répartition en trois tiers vous convient-elle ?

— Bien sûr, fit Eric. Mais l'impératrice ne va pas se laisser faire !

— Elle ne se laissera *jamais* faire. Enfermée dans son cercueil, elle fera tout pour en sortir.

— Il paraît que dans des cas pareils il faut enfoncer un pieu dans le cœur. Mais s'il n'y a pas de cœur ?

Gatwick ricana, puis salua Eric et remonta à l'étage des bureaux. Quelques instants plus tard, il se laissa tomber avec un soupir d'aise dans son vieux fauteuil usé et confortable. Claire était tellement prévisible ! Elle voulait plus, toujours plus, c'était comme ça, et tout le monde finissait même par trouver ça normal. Pour lui, par contre, ces royalties n'avaient guère d'importance. Il n'avait jamais couru après l'argent et était à un point de sa carrière où les jeux financiers étaient faits : il aurait une retraite largement confortable... Une retraite confortable. Son visage s'assombrit. À cinquante ans, la perspective d'une retraite confortable est une source de sérénité lointaine. À soixante-sept ans, c'est un couperet.

Quelques jours plus tôt, Gatwick avait reçu de la faculté un nouveau courrier, un peu plus pressant que les précédents, détaillant le *package* offert aux professeurs âgés de plus de soixante-cinq ans et qui souhaitaient prendre leur retraite. Très intéressant financièrement, certes. Il fallait bien les convaincre de laisser la place aux jeunes. Mais Gatwick n'avait pas envie d'arrêter de travailler. Depuis la mort de sa femme dans un accident de la route, dix ans plus tôt, sa vie s'était petit à petit rétrécie autour de son bureau. Son fils unique travaillait dans le nord de l'Alberta et était trop occupé à extraire du gaz pour entretenir avec son père des relations suivies. Que deviendrait sa vie s'il cessait de travailler ? Une longue suite de jours qui s'étiolent, passés à attendre le lendemain, sans but, sans direction, sans rien à faire, où le summum de l'excitation consisterait à remplir la grille des mots croisés du *Globe and Mail*, chaque jour plus inutile et improductif que le précédent, chaque jour comme une photocopie de la veille, juste un peu plus pâle, avec, quelque part sur le chemin, inévitablement, sa vieille amie qui l'attendait, prête à l'accueillir, prête à lui faire oublier tous ses problèmes...

Gatwick frissonna. Il ne fallait pas — il ne fallait pas qu'il laisse ses pensées dériver dans cette direction. Il était sobre depuis plus de vingt-cinq ans, et même la mort de sa femme ne l'avait pas fait replonger. Mais la pensée de la retraite et du vide qui l'accompagnerait, ce vide qui exigerait d'être comblé, le terrorisait. Il devait *tout* faire pour rester à l'université quelques années encore, au moins jusqu'à soixante-dix ans, peut-être soixante-quinze. Pour cela, il lui faudrait jouer ses cartes avec précaution. La note de la faculté était claire. On souhaitait que cette année scolaire fût la dernière où il enseignât. Par contre, on acceptait qu'il poursuive ses activités de recherche, à la discrétion du directeur de son département. Il n'y aurait aucun problème avec Michel Berthier. Mais si Claire Lanriel devenait directrice, il serait immédiatement placé sur un siège éjectable.

* * *

Après la réunion, Claire passa un long moment à parcourir le site Internet de l'université pour examiner tout ce qui faisait référence à la propriété intellectuelle, à la résolution des conflits entre professeurs et au rôle éventuel des grosses légumes de la faculté là-dedans. Les grands principes étaient bruyamment affirmés, et les détails laissés dans le flou. Là comme ailleurs, l'administration menait la danse à sa guise. Si Michel Berthier tentait de manœuvrer dans le projet Wing 3000 comme il l'avait annoncé, elle devrait trouver un moyen de le contrer. Oui, mais… déclencher contre lui une guerre à laquelle le doyen ou le vice-principal de la faculté se trouveraient mêlés n'aiderait en rien ses plans de carrière. On n'aimait pas les fauteurs de trouble. Il fallait qu'elle sache se montrer souple si elle voulait être nommée à la tête du département. Mais il était absolument hors de question qu'elle accepte ce ridicule partage en trois parts égales !

Plus la journée avançait, et plus l'humeur de Claire s'assombrissait ; peu après dix-huit heures, elle quitta Richelieu et rentra chez elle, fatiguée et sur les nerfs. Twiddlekat se cachait toujours. Elle finit par trouver le chat roux sous le lit et elle tenta de le faire sortir, mais il refusa. Il avait à nouveau très peu mangé, l'écuelle qu'elle avait laissée pleine au pied de la machine à laver était pratiquement intacte. Par contre, il avait beaucoup bu, ce qui était inhabituel. De guerre lasse, Claire prit dans le frigo un peu de rosbif qu'elle avait préparé la veille et mangea en regardant un journal télévisé français sur Internet. En sortant de table, elle s'enfonça dans les profondeurs de son canapé en cuir et zappa, mais il n'y avait rien d'intéressant à la télévision.

En fait, elle avait besoin d'un vrai moment de *détente*. On était mercredi soir. Kevin travaillait peut-être. Sinon, ce serait un autre. Claire lui avait déjà fait des infidélités. Elle prit une douche, passa un chemisier blanc et une jupe de cuir noir, se maquilla un peu plus que pour la journée et appela un taxi.

Quelques minutes plus tard, elle arrivait dans le quartier des bars branchés près de l'université Concordia. Elle descendit de voiture dans une rue transversale, devant une grande maison victorienne un peu en retrait. Au rez-de-chaussée, de la vaisselle de porcelaine et des pièces d'argenterie s'étalaient dans la vitrine illuminée d'une boutique de luxe.

Claire monta l'escalier extérieur, poussa une lourde porte de chêne et se retrouva dans un décor cossu de velours rouge, de lustres de cristal, de parquets cirés et de tapis épais. La propriétaire des lieux l'accueillit d'un sourire et prit son manteau. Claire entra dans le bar. L'éclairage était tamisé, la musique discrète, et la clientèle exclusivement féminine. Parmi les colonnes et les plantes vertes étaient disséminées des tables surmontées de lampes à abat-jour ; des femmes seules y lisaient des journaux, ou simplement buvaient un verre. Des jeunes gens passaient fréquemment entre les tables. Ils étaient beaux, portaient des chemises ajustées et des pantalons moulants. Parfois, ils s'arrêtaient pour échanger quelques mots avec la cliente à qui ils apportaient un verre ; parfois, ils s'asseyaient avec elle ; parfois, ils la raccompagnaient lorsqu'elle allait chercher son manteau ; parfois, ils partaient avec elle. Claire s'assit et un grand blond taillé comme une statue romaine vint rapidement prendre sa commande. Lorsqu'il lui apporta un gin tonic, Claire lui demanda si Kevin travaillait.

— Kevin ? Il vient de sortir. Voulez-vous que je l'appelle ?

Claire hocha la tête. Le grand blond revint peu après et l'informa que Kevin serait là dans quelques minutes. Il lui proposa de lui tenir compagnie en attendant ; elle accepta et lui offrit un verre. Agréablement surpris, il s'assit près d'elle et lui demanda ce qu'elle faisait dans la vie.

— Professeur d'université.

— Wow, dit le grand blond avec admiration.

Elle n'avait aucune envie de s'étaler plus avant sur son existence et lui retourna la question. Il finit par lui avouer que sa copine venait d'accoucher ; l'argent se faisait rare. Elle l'écouta avec indulgence, elle aimait bien les escortes modèle standard, agréables à regarder et avec quatre cents mots de vocabulaire. Ces garçons étaient en général complètement inoffensifs. Kevin était différent : il avait un cerveau et de la culture. Ça rendait la chose plus stimulante.

— Vous avez un accent français, vous venez de là-bas ?

— J'ai longtemps habité Paris.

— J'aimerais tellement visiter Paris. Il paraît que c'est tellement beau...

— Bonsoir, Claire, dit une voix derrière elle.

Elle se retourna. Kevin — deux cents livres de muscles surmontés de longs et épais cheveux noirs — était derrière elle. Mais aujourd'hui, constata-t-elle avec un léger dépit, il avait ramené ses cheveux en arrière, noués en queue de cheval. Ça lui allait moins bien.

— J'ai reconnu vos cheveux, dit Kevin. Toujours Eva Marie Saint dans *La Mort aux Trousses*.

Il la vouvoyait depuis le début, ce qui était charmant. Sentant que sa présence n'était plus souhaitée, le grand blond remercia Claire pour le verre et s'éclipsa.

Quelques minutes plus tard, Claire et Kevin entrèrent dans une chambre d'hôtel de la rue Saint-Hubert, près de la gare routière. La chambre sentait le moisi et ils s'unirent en une étreinte âpre, sans douceur ni tendresse. Puis Claire se rhabilla, prit son sac et en sortit deux billets de cent dollars qu'elle posa sur le lit. Kevin la regarda faire et ne bougea pas.

— Tu veux plus ?

— Non. Je pensais... je pensais qu'on pourrait faire autre chose. Ça ne vous tenterait pas, toute une nuit ?

— Non. Je n'ai aucune envie de me réveiller dans un endroit pareil.

— Ce n'est pas ce que je voulais dire. On pourrait aller chez vous.

Claire se raidit, un peu surprise. Elle répliqua :

— Notre arrangement actuel me satisfait et je ne vois pas de raison d'en changer.

Kevin la regarda sans mot dire et, pour la première fois depuis le début de leur relation, Claire se demanda ce qu'il pouvait chercher. Elle le connaissait depuis… depuis près de six mois, déjà. Voulait-il qu'elle le sorte de sa vie d'escorte, voulait-il qu'elle l'entretienne ? Et d'ailleurs, que faisait-il dans l'existence ? Il s'exprimait correctement, il avait une bonne éducation ; il était sans doute étudiant quelque part. Les filles n'étaient pas les seules à devoir user de leurs charmes pour payer leurs frais de scolarité. Elle ne savait rien de lui et n'avait aucune raison d'aller au-delà. Alors qu'elle restait silencieuse, Kevin ajouta :

— Si vous préférez, on pourrait aller chez moi.

Ça, c'était inattendu, et presque attirant.

— J'y réfléchirai. Merci pour la proposition.

Elle se rhabilla sous le regard de Kevin, toujours nu sur le lit. Lorsqu'elle enfila son manteau, il dit :

— Vous pouvez reprendre votre argent. Ce soir, c'est moi qui offre, mais à une condition.

— Laquelle ?

— Prenez votre mobile et ouvrez-le.

Claire obéit. Il continua :

— Voici mon numéro personnel. Mettez-le dans la mémoire de votre téléphone et appelez-moi un de ces jours.

Elle s'exécuta, reprit les billets et sortit de la chambre. En passant la porte, elle se retourna :

— Bonne nuit, Kevin.

— Bonne nuit, Claire.

6

Le jeudi matin, Monica glissa sous la porte de Claire Lanriel le rapport qui détaillait toutes les étapes de l'expérience qui menait à la couche striée. L'expérience recommencée était un succès total : le rendement des panneaux solaires était exactement le même que pour la manip' précédente, supérieur à 50 % ! Et si elle essayait d'améliorer encore les choses en modifiant la composition de son mélange de solvants ? Elle se rendit à la bibliothèque pour chercher des données physico-chimiques. En travaillant à plus haute température, les fibres seraient plus élastiques et le rendement de la synthèse pourrait être plus élevé…

— Bonjour, Christine, dit-elle en entrant.

La bibliothécaire sursauta. Décidément, elle ressemblait de plus en plus à une souris craintive !

— Bonjour, Monica. Vous allez bien ?

— Très bien ! Mes expériences avancent. Claire est très contente.

Une lueur d'hostilité s'alluma dans le regard noir de Christine Verlanges. Claire était particulièrement impopulaire auprès du personnel et Monica décida de la défendre.

— Vous savez, Claire est très exigeante, mais au fond c'est une bonne boss. Je suis contente de travailler avec elle. Elle forme bien ses étudiants.

Christine Verlanges pinça les lèvres.

— Je ne sais pas si elle les forme bien, mais je sais qu'elle en a fait pleurer beaucoup.

— Hein ?!

— Je me souviens d'un Chinois. C'était il y a quelques années. Il devait finir sa thèse pour occuper un poste important dans une usine, là-bas. Claire l'a contraint à faire des tas d'expériences supplémentaires et il a dû rester un an de plus ici. À cause de ça, il a perdu l'emploi qui l'attendait. Elle a été inflexible. Elle l'a même menacé de ne pas signer les papiers dont il avait besoin pour ses visas. Le pauvre garçon était malheureux comme les pierres.

Monica ne sut que répondre. Claire n'irait quand même pas jusque-là ! Et puis… l'attitude de Christine était curieuse. Elle avait toujours été discrète, effacée, en retrait… pourquoi se lançait-elle soudain dans des accusations aussi invraisemblables contre un des professeurs de département ?

— Vous avez un problème avec Claire ? demanda-t-elle d'un ton sec.

Le rouge monta aux joues de Christine et elle battit en retraite derrière son bureau. Bien sûr qu'elle a un problème avec Claire. Claire aime les gens compétents, décidés, qui savent ce qu'ils veulent, pas comme cette porcelaine désemparée de Christine Verlanges. Monica songea qu'elle avait, elle, les qualités requises pour être appréciée de Claire. Et si, après sa thèse, elle restait à Richelieu, continuait ses travaux de recherche et essayait, peut-être, de devenir professeure au département ?... Avec Claire Lanriel, elle ferait une équipe du tonnerre !

* * *

Deux étages plus haut, Claire ouvrait la porte de son bureau et découvrait par terre le rapport de Monica. Elle le ramassa, le feuilleta rapidement et, quelques minutes plus tard, s'attaqua à la rédaction d'un document intitulé : *Déclaration de découverte : augmentation du rendement énergétique de panneaux solaires. Inventeur : Professeure Claire LANRIEL.*

* * *

À peu près au même moment, Eric Duguet découvrait lui aussi une enveloppe glissée sous sa porte. Une enveloppe blanche, sans timbre ni adresse, où son nom était calligraphié en grosses lettres bleues majuscules.

La professeure Lanriel a truqué les résultats de sa thèse. Demandez au professeur Berthier.

Eric sortit en trombe de son bureau, s'engouffra dans l'escalier et déboula dans la bibliothèque, faisant sursauter Christine Verlanges qui classait des revues sur un présentoir.

— Bonjour, Christine ! s'écria-t-il. Où cachez-vous les thèses ?

— Les plus récentes sont dans l'armoire du fond, entre les fenêtres, professeur Duguet. Les plus anciennes sont dans la réserve. Connaissez-vous l'année de celle que vous cherchez ?

— Oh, ça doit faire au moins quinze ans, peut-être vingt…

— Dans ce cas, regardez entre les fenêtres. Elles sont classées par ordre alphabétique.

Eric se dirigea vers le fond de la bibliothèque et revint un peu plus tard, dépité.

— Je ne la trouve pas… peut-être ne l'avez-vous pas.

— Je vais chercher dans la base de données, dit Christine en s'asseyant devant son ordinateur. Qui est l'auteur ?

— Claire Lanriel.

— Ah, mais le professeur Berthier l'a empruntée l'autre jour ! Je ne crois pas qu'il l'ait rapportée.

— Berthier ? Vous êtes sûre ?

— Absolument, oui.

Eric remercia Christine et ressortit de la bibliothèque, puis hésita quelques instants. Autant battre le fer tant qu'il est chaud, décida-t-il avant de remonter les escaliers quatre à quatre. Il mettait un point d'honneur à ne jamais prendre l'ascenseur.

Quelques instants plus tard, il entra, un peu essoufflé, dans le bureau de Michel Berthier. Ce dernier, loupe à la main, examinait un ouvrage ouvert devant lui.

— Avez-vous déjà trouvé un accord avec Claire sur les royalties ? s'exclama-t-il quand il le vit. Ça a été rapide !

— Pas vraiment. En fait, je viens vous voir à cause de ça.

Il tendit la lettre anonyme à Michel et ajouta, d'un ton neutre :

— Christine Verlanges m'a dit que vous aviez emprunté sa thèse.

Michel examina la lettre puis la posa devant lui.

— Ferme la porte et assieds-toi.

Eric obéit et le regarda d'un air interrogateur.

— J'ai reçu il y a quelques jours une missive de la même nature, mais qui précisait où il fallait que je cherche.

Il ouvrit un tiroir et tendit sa propre lettre à Eric.

— Regardez les photos… Qu'est-ce que ça veut dire ? demanda Eric en la lui rendant.

Michel posa sa lettre à côté de celle d'Eric et murmura :

— Même papier, mêmes caractères manuscrits… même origine ! Ta lettre était dans une enveloppe ?

— Euh, oui, une enveloppe sans aucune marque distinctive, avec mon nom en capitales...

Michel replia ses lunettes.

— Le sujet de thèse de notre amie Claire portait sur le pétrole. D'après ce que j'en ai compris, quand on extrait du pétrole d'un puits, on ajoute de l'eau au gisement pour maintenir la pression. Inévitablement, une partie de cette eau est repompée sous forme de très fines gouttelettes, qu'il faut regrouper en grosses gouttes pour les enlever du pétrole avant le raffinage. Claire essayait diverses méthodes pour faire grossir ses gouttes d'eau. Voici les photos des gouttes en question.

Il tourna la thèse vers Eric et ce dernier découvrit des photos de quelque chose qui ressemblait à des bulles de savon. Il examina les clichés quelques instants.

— Photo avant traitement et après traitement. Les gouttes *après* sont nettement plus grosses que celles *avant*. Donc ça a réussi ? Elle cherchait à les faire grossir, non ?

— Exact. Plus les gouttes grossissaient, plus son travail était réussi. Or, elle se servait de ces photos pour en mesurer la taille. Maintenant, regarde ici, photo avant traitement. Dans le coin, sous cette petite goutte.

— Il y a une espèce de croissant noir tarabiscoté...

— C'est une impureté, le pétrole en est plein. Maintenant regarde ici, cette autre photo — après traitement.

— On dirait... on dirait la même impureté... mais elle est deux fois plus grosse ? !

— Et les gouttelettes ?

— Elles sont aussi deux fois plus grosses que sur...

Eric leva les yeux vers Michel et ses lèvres formèrent un *oh* muet.

— Vous croyez... vous croyez...

— Je crois que les gouttes de Claire ne grossissaient pas comme elle voulait et qu'elle a tout simplement changé le grossissement du microscope pour faire croire le contraire! Une belle petite fraude, non?

Eric prit la loupe et se pencha sur les deux photos. Il regarda un long moment, puis secoua la tête.

— Ces deux impuretés se ressemblent, elles se ressemblent vraiment beaucoup, mais est-ce que ça suffit... je veux dire, pour prouver quelque chose? Qu'est-ce que vous en pensez?

— Je crois qu'il y a de très fortes chances que Claire Lanriel ait maquillé la vérité. Mais je ne suis pas tout à fait sûr que ces photos suffisent à prouver la chose de façon totalement irréfutable.

— Et que... que comptez-vous faire?

— Je vais faire fonctionner mes petites cellules grises, comme on dit. Ce qui me frappe là-dedans, en plus de la fraude probable commise par Claire, c'est l'apparition de ces lettres anonymes *aujourd'hui*, vingt ans après les faits. Pourquoi attendre *vingt ans*? Et qu'attend-on de nous?

— Bonnes questions, murmura Eric.

— Ce n'est pas toi qui les as écrites, au moins?

Eric bondit.

— Bien sûr que non! Comment aurais-je pu être au courant? Et puis, pourquoi aurais-je fait une chose pareille?

— Pour te débarrasser d'elle! Tu ne veux pas devenir directeur du département?

— Directeur de... Non! Je veux dire... je suis trop jeune!

— Pas suffisamment pour que ce soit un problème. Tu n'es pas le candidat le plus évident à ma succession, mais l'idée n'est pas entièrement ridicule.

Eric se mordit la lèvre.

— Je n'y avais pas songé.

— Il serait peut-être temps de t'y mettre, dit Michel d'un ton négligent. Claire est puissante, pas forcément invincible.

Eric le regarda quelques secondes. Puis un large sourire illumina son visage :

— Et si c'était *vous* qui aviez écrit ces lettres ? Vous ne voulez pas que Claire vous succède et vous commencez par en écrire une à vous-même, pour vous couvrir. Puis vous m'en envoyez une pour avoir un Watson qui vous pousse dans le dos !

Michel éclata de rire — c'était la première fois qu'Eric l'entendait rire de bon cœur.

— Bien vu, mon cher Watson, mais malheureusement ce n'est pas moi.

Il chaussa ses demi-lunes et reprit :

— La bibliothèque de la faculté doit avoir un autre exemplaire de l'œuvre de Claire. Je suggère que tu ailles l'emprunter et que tu la lises à fond. Nous pourrons ensuite comparer nos découvertes.

— Je vous promets d'y passer mon week-end !

* * *

Un mur de séparation, entre les portes-fenêtres, ce serait *très* bien. Ça permettrait d'avoir un petit bureau, clair et confortable, tellement agréable pour travailler face au lac. Debout face aux portes-fenêtres en question, Nathalie pouvait presque voir à quoi tout cela ressemblerait après les travaux et elle était très contente de son idée. Maintenant, il fallait convaincre Claire, qui n'avait pas paru très enthousiaste ; mais Claire n'était jamais très enthousiaste quand les idées ne venaient pas d'elle. Il faut qu'elle comprenne, pensa Nathalie en levant le menton, que le chalet est maintenant à *nous* et qu'elle n'y a plus tous les droits. Hughes avait toujours laissé sa sœur y faire ce qu'elle voulait, il l'adorait et elle en profitait, et malgré tous ses efforts Nathalie n'était jamais arrivée à détacher Hughes de sa sœur. Curieusement, Hughes qui était toujours très flexible et très accommodant s'était montré complètement rigide sur cette question là. Il avait fallu qu'elle subisse Claire, mais maintenant les choses avaient changé ! Elles possédaient toutes les deux un tiers du chalet, ni plus ni moins. Des parts égales. Donc, une autorité égale. Il y avait aussi Alexandra, qui vivait à Paris et qui possédait le troisième tiers, mais elle ne venait jamais au Québec. C'était bizarre, d'ailleurs. Pourquoi ne venait-elle jamais voir Claire ? Elles avaient dû se disputer. Claire avait un caractère un peu difficile. Mais ça ne dérangeait pas Nathalie. Elle avait l'habitude des gens difficiles. Toute la journée, elle traitait au téléphone des dossiers avec des gens qui étaient *toujours* difficiles — et elle ne les laissait jamais lui imposer leurs vues.

Claire finirait certainement par admettre que ce bureau était une bonne idée. Elle pourrait en profiter, elle aussi, quand elle viendrait. Même si elle ne venait pratiquement jamais. Elle disait qu'elle avait trop de travail, mais Nathalie n'y croyait pas vraiment. Quand Hughes était encore en vie, Claire avait déjà beaucoup de travail, mais cela ne l'avait jamais empêchée de venir passer un week-end au chalet. Et c'était alors elle qui décidait de tout ; mais Nathalie ne se laissait pas faire, et c'était sans doute pour cela que maintenant Claire venait moins. Elle n'aimait pas qu'on lui résiste. Elle voulait toujours tout mener, tout organiser.

Par exemple ce courriel qu'elle venait de lui envoyer : elle lui parlait presque comme à une domestique ! Pour lui dire qu'elle devait aller en France après la semaine de relâche, qu'elle serait très occupée avant son départ et qu'elle ne pourrait pas venir au chalet, qu'il faudrait donc attendre *après* son retour d'Europe pour qu'elle ait le temps de s'intéresser aux projets de travaux de Nathalie. Ça faisait *au moins* trois semaines d'attente ! Trois semaines d'attente pour cinq minutes de décision, ce n'était pas raisonnable ! Et puis il ne pouvait pas y avoir de désaccord entre elles, puisque l'idée de Nathalie était tellement bonne. Claire ne pourrait pas s'y opposer sans être de mauvaise foi. Elle l'était, parfois. Elle n'était pas très facile à vivre. Mais d'un autre côté, si elle était prête à laisser passer trois semaines avant de s'intéresser à la question, c'est qu'elle n'y attachait pas beaucoup d'importance. En fait, c'était un manque de considération de la part de Claire de faire attendre Nathalie aussi longtemps. Ce n'était ni poli ni respectueux. Et comme elle finirait sûrement par accepter, pourquoi attendre ?

Nathalie décrocha le téléphone et composa le numéro de l'entrepreneur.

* * *

Dans la soirée du jeudi, Eric aida Todd à déménager des boîtes de l'appartement du Plateau-Mont-Royal qu'il occupait avec deux colocataires jusqu'à la maison de sa mère, à Saint-Léonard. Il n'y était jamais allé et découvrit un lieu d'une propreté maniaque. Madame Alkibiadès devait passer un temps considérable à nettoyer à la brosse à dents et à la pointe du couteau les joints du carrelage de la cuisine immaculée. Pendant que Todd parlait rapidement avec sa mère, moitié en anglais, moitié en grec, il fit connaissance avec le chat de la maison, un bel animal tigré aux yeux verts, un peu farouche. Ils déchargèrent la voiture et entassèrent les boîtes dans la chambre de Todd. Ce dernier n'était plus tout à fait le même : il paraissait fébrile, comme s'il était heureux de partir. S'il avait des regrets, il n'en montrait rien. Était-ce la perspective de recommencer une nouvelle vie, à trois mille kilomètres de la précédente ?

Eric se surprit à penser à son propre départ de France, des années auparavant. Avait-il éprouvé, lui aussi, cette excitation face à la découverte, face à l'inconnu ? Oh que oui. Un frisson commença à le gagner à son tour. Et s'il bougeait à nouveau ? Pourquoi pas, après tout ? S'il rentrait en France ? Rien ne le retenait à Montréal : rien que son boulot, son appartement, ses amis, sa vie des dix dernières années... exactement ce qui le retenait lorsqu'il avait quitté Bordeaux. Pourquoi pas ?

* * *

Monica rentra chez elle le vendredi soir avec un soupir d'aise. La semaine était enfin terminée. Une bonne odeur sortait de la cuisine — boulettes de viande à la sauce tomate, identifia-t-elle — et Ricky regardait une émission de téléréalité. Tout semblait agréablement normal. Profitant d'une pause publicitaire, Monica vint s'asseoir à côté de lui.

— Je serai en vacances la semaine prochaine. Tu aimerais qu'on aille passer une journée de ski au mont Tremblant ?

— Si tu veux, fit Ricky en bâillant.

Le téléphone sonna. Monica se tourna vers Ricky qui fit une grimace *Ma vieille, mes amis ne m'appellent que sur mon mobile !* avant de s'éjecter du canapé. Il revint quelques secondes plus tard et tendit l'appareil à sa sœur avec un soupir :

— C'est pour toi...

— Allô ?

— Monica? Ici Claire Lanriel. Il faudrait que tu viennes à Richelieu demain ou dimanche. Il y a des formalités administratives urgentes à remplir à propos des panneaux solaires et puisque tu seras absente la semaine prochaine, il faut s'en occuper avant. Peux-tu te libérer demain samedi?

— Euh, oui... Vers quatorze heures? Ça irait?

— Parfait. À demain.

* * *

Ce soir-là, Monica eut des difficultés à trouver le sommeil et tourna et se retourna dans son lit. Pourquoi Claire voulait-elle la voir de façon aussi pressée? Pourquoi attendait-elle qu'elle soit en vacances pour la prévenir de ces formalités qu'elle disait si urgentes? Juste au moment de s'endormir, elle découvrit la réponse, mais quand elle se réveilla le lendemain matin elle l'avait oubliée.

7

La neige commença à tomber samedi très tôt. Monica partit de chez elle peu après treize heures et arriva à Richelieu après trois quarts d'heure de conduite lente. Elle traversa le campus quasiment désert et se gara dans le stationnement réservé aux professeurs du bâtiment, à côté de la porte d'entrée. Peut-être y aurait-elle un jour une place attitrée ! La Nissan bronze de Claire Lanriel était là, couverte d'une épaisse couche de neige ; elle avait dû arriver bien plus tôt. Monica recula un peu pour ne pas être trop près du mur et éviter ainsi les glaçons qui chutaient parfois de la corniche. La carrosserie de la vieille Ford était déjà assez abîmée.

Cinq minutes plus tard, elle frappa à la porte de Claire. Cette dernière portait un tailleur marine style Chanel, avec un chemisier blanc et un collier de perles. La simplicité de la perfection. *Dieu qu'elle est belle*, pensa Monica, la gorge serrée. Claire dit avec un sourire de Joconde :

— Merci d'être venue aussi vite. J'ai fait du thé, tu en veux une tasse ?

Monica accepta, toute contente. Il était fort rare que Claire offre quelque chose aux gens qui venaient dans son bureau ! Claire versa le thé et lui tendit une fine tasse de porcelaine avec des décorations bleues, très jolie et sans doute très chère. Tandis que Monica examinait l'objet du coin de l'œil, Claire attaqua :

— La couche striée que tu as découverte par hasard a un potentiel commercial puisqu'elle augmente le rendement de la cellule solaire et il est donc indispensable de signer la DD avant d'aller plus loin.

— La dédé ?

— La Déclaration de Découverte. C'est la procédure de l'Université lorsqu'est développée une invention à caractère commercial. La DD présente l'invention, ses applications, son intérêt, etc. Voici ce que j'ai rédigé.

Elle lui tendit un document assez épais et poursuivit :

— Tu seras en vacances la semaine prochaine, et moi à Paris la semaine d'après. Il faut donc absolument signer la DD aujourd'hui pour ne pas prendre de retard. L'invention doit être déclarée au plus vite à la Faculté.

Monica sentit une impression bizarre naître au creux de son estomac. Elle feuilleta le document. Il y avait la quasi-intégralité de son dernier rapport et de ses résultats, la description complète de la technique de synthèse de la couche striée, le détail des étapes intermédiaires, les relevés des expériences… Elle continua à tourner les pages et arriva à la dernière, qui était intitulée PARTAGE DES ROYALTIES. Il y avait son nom, un blanc, le nom de Claire, un autre blanc, et en dessous de leurs deux noms un daté-signé.

— C'est quoi ça ?

Claire passa la main dans ses cheveux.

— Nous sommes co-inventeurs, donc si l'invention est commercialisée, ce qui n'est nullement garanti, nous récupérerons une partie des royalties. Vingt-cinq pour cent vont à l'université, dix au département, et les soixante-cinq restants sont répartis entre nous.

— Répartis ? Répartis comment ?

— Eh bien, c'est moi qui ai démarré le projet de recherche, c'est moi qui t'ai orientée sur cette voie, c'est moi qui ai la responsabilité du projet et qui ai trouvé son financement, et c'est moi qui ai défini les grandes orientations de ton travail pendant que tu t'occupais des détails techniques. Par conséquent, un partage quatre-vingt-cinq pour cent pour moi, quinze pour cent pour toi reflète parfaitement nos contributions respectives. Il ne nous reste plus qu'à écrire ces chiffres, à dater et à signer ensemble.

Le débit de Claire s'était fait plus rapide. Monica se figea. Quinze pour cent?

— J'aimerais y réfléchir un peu, dit-elle. C'est très soudain...

— L'administration a besoin de ce document le plus vite possible. Il faut signer aujourd'hui.

— Mais vous auriez pu me prévenir!

Claire haussa les épaules et lui tendit un stylo.

— Tu étais très occupée. Je n'ai pas voulu te faire perdre de temps avec des détails administratifs.

— Ce n'est pas un *détail*. C'est un document important, qui engage ma signature, et je ne peux pas...

Claire se raidit et leva la main.

— C'est important et c'est urgent. Nous devons signer aujourd'hui.

— Si c'est si important que ça, il aurait fallu m'en parler avant!

Claire la regarda avec une franche désapprobation et Monica se sentit rougir. Elle ne voulait surtout pas déplaire à Claire.

— Excusez-moi, je... enfin, je veux dire...

Pour se donner une contenance, elle refeuilleta le document. Tous les détails y étaient consignés, réalisa-t-elle. Tous les paramètres qu'elle avait soigneusement notés et qui permettaient de refaire l'expérience dans des conditions identiques. Elle découvrit une page qu'elle avait manquée : la photocopie de la feuille de résultats qu'elle avait remise à Claire quelques jours plus tôt, avec la date et leurs deux signatures. Un poing se referma lentement autour de son estomac. *Signe-la, nous aurons un souvenir.* En signant cette feuille, elle avait... elle avait quoi, au juste ? Officialisé les résultats ? Reconnu l'existence de cette technologie ? Elle ne comprenait pas très bien, mais elle sentait que cette feuille signée avait une grande importance et que Claire la retournait contre elle. *La technologie existe DONC on la déclare DONC tu dois signer DONC tu es coincée ma vieille...*

— Je ne peux pas signer sans l'avoir lu, dit-elle en serrant les dents. Et je veux y réfléchir.

— Il n'y a rien à réfléchir, dit Claire avec une pointe d'agacement. Il faut signer aujourd'hui.

Monica prit une profonde inspiration.

— Je veux réfléchir au partage des royalties que vous me proposez.

— Il est très généreux, dit Claire.

— Très généreux ? Quinze pour cent !

— Qui correspondent à nos contributions respectives, je viens de te l'expliquer.

— Mais c'est moi qui ai trouvé les bonnes conditions de synthèse ! C'est moi qui ai trouvé la solution !

— Tu as effectivement réglé les détails techniques — par le plus pur des hasards, je te le rappelle —, mais c'était ton travail et ça ne te donne aucun droit particulier. Comme tu l'as souligné l'autre jour, ce projet ne fait pas partie de ta thèse avec la Northern Energy. En toute logique, tu ne devrais rien avoir.

Stupéfaite, Monica ressentit quelque chose d'inattendu : de la colère.

— Je ne signerai pas sans réfléchir.

— Monica, je n'aurais jamais pensé que tu ferais des difficultés. Je ne comprends pas que...

— Eh bien, vous devriez comprendre ! Ça vous éviterait de me mettre ce papier sous le nez et un stylo dans la main pour me forcer à signer !

Claire se leva et lui fit face.

— Je ne te force pas à signer : il s'agit d'une obligation professionnelle. Tu es payée par l'université, tu dois en respecter les règles. Il faut que tu signes.

Elle toisait Monica, le regard glacial, les pommettes hautes, son visage parfait posé sur son cou délicat, et Monica eut envie de mettre ses mains autour de ce cou... et de serrer.

— Je considère que ma contribution vaut plus que quinze pour cent, dit-elle d'une voix contenue.

Les narines de Claire frémirent.

— Ridicule, siffla-t-elle. Je consens à partager les retombées de cette invention avec toi, il est inacceptable qu'en retour tu te comportes de façon égoïste et immature. Aucun étudiant n'a jamais fait de difficultés pareilles.

Un souvenir surgit dans la mémoire de Monica : la main de Claire effleurant son épaule. Elle comprit soudain ce qu'elle n'arrivait pas à nommer : c'était une trahison. Claire l'avait trahie.

— Je ne signerai pas, répéta-t-elle d'une voix légèrement tremblante. Je refuse de signer.

— Tu *refuses* de signer ? De quel droit ? Pour qui te prends-tu ?

— Je ne veux pas le faire ! Je ne le ferai pas !

Claire Lanriel secoua la tête et une mèche blonde vint se loger dans le creux de son cou. Elle toisa Monica.

— Pourquoi es-tu si émotive ?

— Je ne suis pas émotive ! hurla Monica.

Claire esquissa un mouvement de recul puis se redressa, prête à se battre, et une pensée démente traversa l'esprit de Monica, *Je vais te tuer, tu entends, je vais te tuer!* et elle eut un vertige, épouvantée, que lui arrivait-il, que se passait-il? Elle bafouilla:

— Je ne veux pas, je ne *vais* pas...

Elle jeta la Déclaration de Découverte sur le bureau de Claire et sortit en trombe.

* * *

Lorsque Todd arriva chez Eric peu après trois heures samedi après-midi, il eut la surprise de le trouver en pyjama.

— Je travaille au lit depuis ce matin. Je lis une thèse. On a un gros problème à Richelieu, c'est très sérieux. Tu le gardes pour toi, il y a... il y a un corbeau.

— Un corbeau? Sous le toit?

— Non, non, pas un vrai corbeau. Un corbeau, en français de France, c'est quelqu'un qui écrit des lettres anonymes. Elles accusent Claire Lanriel d'avoir truqué les résultats de sa thèse de doctorat, il y a vingt ans.

— Et c'est vrai? demanda Todd en haussant les sourcils.

— C'est possible. C'est pour ça que j'épluche sa thèse. Je n'ai pas trouvé de preuve indiscutable de fraude pour l'instant. Une forte présomption, oui, mais pas de preuve.

— Ça m'étonne. Claire est une bitch, mais je ne la vois pas faire ce genre de choses.

— Cette femme est capable de tout, grogna Eric.

Il y eut un court silence, puis Todd reprit:

— Peut-être que le... le corbeau a une preuve. Tu sais qui c'est?

— Non.

Peut-être que le corbeau a une preuve... Eric réfléchit à la remarque de Todd. Et si, effectivement, le corbeau en savait plus? Mais s'il en savait plus, pourquoi ne pas l'avoir mis dans les lettres ? Et si… et si le corbeau en savait plus, peut-être même assez pour faire chuter Claire, mais ne pouvait pas le révéler sans se dévoiler lui-même ? Il fallait donc absolument trouver un moyen de communiquer avec lui ! Eric referma la thèse, décida que la journée de travail était terminée et s'approcha de Todd, qui se laissa faire de bonne grâce.

* * *

Au même moment, dans un grand hôtel du centre-ville, Christine Verlanges vivait un cauchemar. Après avoir hésité toute la matinée, elle avait fini par se décider à assister à une foire pour l'emploi qui avait été annoncée dans le journal de l'université. Elle avait passé une chemise blanche et un pantalon marine, une tenue sérieuse qui plairait certainement aux employeurs potentiels, tout le monde disait qu'on manquait de gens sérieux, et elle s'était présentée sur les lieux pleine d'espoir. Elle avait un excellent CV, beaucoup de qualités professionnelles. Elle correspondait sans aucun doute aux critères de plus en plus exigeants des entreprises et des administrations.

Mais quand elle entra dans le grand hall de l'hôtel brillamment illuminé par des lustres en faux cristal, elle découvrit qu'elle n'était pas la seule à chercher un emploi. Il y en avait des dizaines d'autres, comme elle pleins d'espoir et d'appréhension, et, la respiration oppressée, elle se retrouva plongée dans une jungle brutale et hostile, elle voyait dans les regards autour d'elle le mélange d'avidité et d'inquiétude et la peur de l'échec qui faisaient écho à ses propres angoisses, et son cœur se mit à battre de plus en plus vite. Une nouvelle peur surgit en elle, la peur d'affronter ces regards, la peur de se confronter à tous ces *autres* qui voulaient la même chose qu'elle, un peu de sécurité, un peu de stabilité dans leur vie, pourquoi fallait-il se battre pour simplement *vivre*? Elle parcourut les couloirs du salon, de plus en plus loin de ces gens qui s'agitaient, qui espéraient, de ce monde bruyant et agressif dans lequel elle ne se reconnaissait pas, de ce monde qu'elle ne voulait pas être forcée de rejoindre, qu'elle ne *pouvait* pas rejoindre, et les murs se refermaient sur elle, elle était prisonnière, elle étouffait. Elle sortit de l'hôtel presque en courant et se retrouva dans le froid humide de la nuit qui tombait. Elle ne pouvait pas continuer ainsi, ce n'était plus possible… Elle devait trouver une sortie, vite, *vite.*

Le docteur Rhys. Il lui avait dit qu'elle pouvait le joindre quand elle voulait. Christine ouvrit son sac, prit son portable et d'une main tremblante composa le numéro.

* * *

Le soir venu, Monica décida de se changer les idées. Sa violente dispute avec Claire refusait de lui sortir de la tête. Elle avait besoin de voir du monde et de vider quelques verres. Après le journal télévisé de vingt-deux heures, elle laissa son grand-père à moitié assoupi devant la télé, prit une douche, se maquilla et s'habilla. Puis elle entreprit le long voyage en autobus et en métro — hors de question de prendre la voiture, elle espérait bien être très vite hors d'état de conduire — et vers minuit se retrouva au Density, un bar du boulevard Saint-Laurent qu'elle avait beaucoup fréquenté quelques années plus tôt. Elle avala deux vodkas orange coup sur coup puis s'installa à la mezzanine pour regarder les gens sur la piste de danse. Elle sentait encore au creux de l'estomac le choc de son affrontement avec Claire. Leur conversation tournait dans sa tête comme un refrain criard et par-dessus tout il y avait toutes ces questions. Pourquoi Claire avait-elle agi ainsi? Pourquoi l'avait-elle trahie? Mais était-ce vraiment une trahison? Peut-être était-ce elle-même qui avait tort, tort sur les royalties, tort sur Claire Lanriel, tort sur tout, qu'allait-il arriver maintenant? Que devait-elle faire? Comment se passerait la fin de sa thèse? Claire lui pardonnerait-elle? Et surtout, qu'adviendrait-il de leur *relation*? Mais il n'y avait pas de relation, il ne pouvait pas y en avoir, en tout cas pas dans le sens qu'elle souhaitait, tout cela était complètement idiot, elle n'arrivait pas à croire qu'elle avait pu se mettre dans une situation pareille, c'était un rêve absurde qui avait tourné en cauchemar. Il lui fallait plus de vodka.

L'alcool faisait déjà effet, constata-t-elle en allant au bar. Son seuil de tolérance était nettement plus bas qu'avant. Eh bien, ce serait plus économique. Elle prit son verre et revint s'installer à la mezzanine. Il fallait qu'elle renoue le contact avec Claire, d'une manière ou d'une autre, Claire était sa directrice de thèse, elle était obligée d'avoir de bons rapports avec elle. Et les royalties? Que penser de cette histoire? Dans le projet, elle avait tout fait, tout le travail venait d'elle, Claire n'était qu'une présence lointaine qui donnait des ordres depuis la salle du trône pendant qu'elle trimait sur le champ de bataille. Monica décida qu'elle avait droit au moins à la moitié du butin, ça ne faisait aucun doute. Mais comment pouvait-elle forcer Claire à accepter? Et d'ailleurs, quel était le partage habituel entre les profs et les étudiants? Comment se passaient les choses avec les autres profs, comment préparaient-ils leurs Déclarations de Découverte? Ce n'était pas la première fois qu'il y avait une découverte à l'université, les tiroirs de l'administration devaient être pleins de ces dédés!

Monica comprit soudain que Claire savait tout, tout sur le règlement de l'université, les dédés et comment les remplir, les procédures et les usages, et elle détournait tout ça à son profit. Si Monica avait été informée à l'avance de cette dédé, elle se serait préparée, elle n'aurait jamais donné à Claire toutes ces informations, oh non ! mais elle ne savait rien, et Claire utilisait son ignorance contre elle pour lui extorquer ses royalties. C'était injuste : non seulement Claire avait du pouvoir et de l'argent, mais en plus elle utilisait son pouvoir pour avoir encore *plus* d'argent ! C'était plus qu'injuste, c'était déprimant. Seule solution : il fallait empêcher les gens d'avoir du pouvoir. Supprimer l'exploitation de l'homme par l'homme — de la femme par la femme. Vive l'égalité, avec la liberté et la fraternité en prime. Mais c'était idiot, et démodé. Plus personne n'agissait comme ça. Tout le monde cherchait son intérêt. Elle avait été trop gentille, trop naïve, et il fallait que ça change. Il fallait que ça change *tout de suite.*

— Salut, tu vas bien ?

Elle n'était plus seule. Un garçon de son âge, bonne bouille, début de calvitie et T-shirt JAMAIS SANS MA BIÈRE s'était installé près d'elle. Cela l'ennuya.

— Non, ça ne va pas bien.

— Pourquoi ? Tu as des ennuis ?

— Je suis communiste et lesbienne, prononça-t-elle d'une voix un peu épaisse.

Il murmura quelque chose qu'elle ne saisit pas bien — c'était peut-être *désolé* mais ça aurait pu aussi être *mal baisée* — et il partit. Mal baisée ? À la réflexion, certainement. Depuis Thierry, ça faisait… oh, ça faisait vraiment longtemps. Elle regarda un groupe de filles qui dansaient en cercle autour de leurs sacs à main posés sur la piste et son intérêt s'éveilla lorsqu'elle vit près d'elles un mec en jeans bleu et T-shirt blanc, assez grand et bien baraqué, les cheveux courts, blonds, les yeux en amande et le nez droit. Il ressemblait vaguement à Thierry. Monica se demanda s'il lui ressemblait de partout et ça la mit de bonne humeur. Elle finit son verre et, en descendant danser, se découvrit quelques difficultés à marcher droit.

* * *

— Vous avez bien fait d'appeler, dit le docteur Rhys en accueillant Christine.

Elle se confondit en excuses. Le docteur était vraiment trop bon de la recevoir comme ça, le lendemain de son appel, et un dimanche en plus ! Il balaya ses craintes d'un bon sourire et l'emmena dans un petit bureau en coin, au-delà de la grande pièce où se tenaient les Groupes, et qui donnait sur la place Ville-Marie. Ils étaient au trente-cinquième étage et les tours sombres environnantes étaient parsemées de quelques rectangles blancs où passaient parfois en ombre chinoise les silhouettes affairées qui travaillaient en fin de semaine. Le docteur Rhys baissa les stores et fit signe à Christine de s'asseoir dans un fauteuil face à lui, de l'autre côté d'une table basse. Elle se sentit immédiatement mieux. Elle ouvrit la bouche et un torrent désorganisé en sortit. Elle raconta sa peur, son angoisse, l'étau qui s'était refermé sur elle dans les couloirs de l'hôtel, la veille, puis sa voix trembla, vacilla, devint un filet qui faiblit et mourut, tandis que le docteur Rhys la regardait pensivement.

— Christine, je vais peut-être vous surprendre, mais je crois que vous êtes presque guérie.

Christine leva la tête vers lui. Elle s'attendait à tout, sauf à ça.

— Vous avez fait la plus grande partie du chemin : vous savez que vous avez besoin d'aide. Pour terminer le travail, il ne vous reste plus qu'à trouver la cause initiale de ce qui vous afflige. Vous connaissez ma méthode : j'ai besoin de votre consentement total, sans réticence subconsciente. Sinon, nous courons à l'échec.

Christine le savait, et elle avait peur. L'efficacité de la technique du docteur Rhys, elle l'avait constatée. À chaque Groupe, il y avait toujours un témoignage de quelqu'un que le docteur avait guéri et qui expliquait les bienfaits des séances privées, mais elle hésitait. Ce n'était pas une question d'argent même si c'était très cher, non, elle craignait tout simplement de connaître la vérité.

— Nous devons vous libérer de votre héritage, Christine. Il vous frappe de plus en plus. Si nous ne faisons rien, il finira par vous détruire.

C'était tellement vrai… L'obscurité qui avait envahi sa vie la noyait petit à petit.

— Mais pourquoi, s'exclama-t-elle dans un sursaut de colère, pourquoi tout cela m'arrive-t-il ? Pourquoi moi ?

Le docteur Rhys secoua la tête, comme on secoue la tête lorsqu'un enfant intelligent laisse échapper une bêtise.

— Pourquoi avez-vous les cheveux noirs ? Cela vient de vos gènes, de vos ancêtres, et vous n'y pouvez rien du tout. Vos problèmes ont la même origine. Vous répétez les fautes commises par vos aïeux, vous êtes *forcée* de les répéter puisqu'elles sont inscrites dans votre bagage génétique. Nous devons fouiller le passé et trouver l'origine de cet héritage pour que vous en soyez libérée.

Christine se souvint alors d'un des Groupes. Une femme d'une cinquantaine d'années avait raconté son histoire et avait fini en sanglots. Le jour de ses dix-huit ans, sa fille était partie de la maison et avait refusé tout contact avec elle pendant des années. Grâce à la psychogénéalogie du docteur Rhys, cette femme avait compris pourquoi : sa propre mère s'était enfuie de chez elle à dix-huit ans et sa fille n'avait fait que reproduire cet abandon, deux générations plus tard. La découverte de la blessure originale avait permis la réconciliation des deux femmes. Mais Christine avait encore une réticence, qu'elle avait du mal à avouer : ses parents et ses grands-parents vivaient encore, dans un petit village du bas du fleuve, près de Rimouski. De quel droit pouvait-elle ainsi fouiller leur passé ?

— Nul ne sait à quelle génération remonte la faute originelle, ajouta le docteur Rhys comme s'il lisait ses pensées. Seule la régression pourra nous l'apprendre. Mais vous en êtes devenue le réceptacle, donc d'une certaine façon elle vous appartient maintenant. C'est parce qu'elle n'a pas été résolue par vos ancêtres qu'elle revient aujourd'hui vous hanter. Tout ce qui est fait a déjà été fait, telle est la leçon que la psychogénéalogie nous enseigne.

Tout ce qui est fait a déjà été fait... Christine réalisa alors avec un frisson glacé qu'elle ne pourrait pas suivre la thérapie du docteur Rhys. Elle s'était fermé cette porte elle-même — elle venait de le faire. Elle avait déjà chuté. Il était trop tard.

8

Lorsque Claire se leva le lundi matin, Twiddlekat n'allait pas mieux ; il semblait de plus en plus faible. Peu après huit heures, elle appela le vétérinaire et prit rendez-vous pour le soir même puis, préoccupée, partit travailler.

Comme tous les quinze jours se tenait la réunion de groupe du département, même si la plupart des professeurs étaient absents à cause de la semaine de relâche. Seuls Gatwick, Duguet et Berthier étaient là, ainsi bien sûr que May Fergusson dans un de ses sweat-shirts informes. Ils expédièrent rapidement l'ordre du jour, puis Michel Berthier demanda :

— Y a-t-il autre chose ?

— Oui, dit Claire. Il a été proposé que mes étudiants s'installent temporairement dans la bibliothèque à cause des problèmes de chauffage au sous-sol, mais c'est une solution très peu pratique, d'autant plus que nous ne savons absolument pas quand le chauffage sera remis en route.

— En général, les réparateurs arrivent mi-avril, dit May en jouant avec son briquet.

— L'été dernier, reprit Claire, il y a eu le problème inverse avec la climatisation, et ces bureaux étaient devenus des fournaises. Il n'est pas acceptable que des étudiants s'installent *ad vitam æternam* dans la bibliothèque et il faut trouver une meilleure solution. J'ai pensé aux bureaux vides du deuxième étage, en face de la salle des fournitures.

— Mais ces bureaux sont à moi ! glapit Gatwick.

— Pour l'instant ils ne sont à personne puisqu'ils sont vides, laissa tomber Claire.

— Mais je vais avoir de nouveaux étudiants à la rentrée prochaine ! Ils auront besoin de bureaux !

Claire se tourna vers lui et dit d'un ton excédé :

— Vous avez soixante-sept ans, vous partez en retraite dans quelques mois, vous n'aurez pas de nouveaux étudiants et nous avons besoin de ces bureaux. Ne soyez pas égoïste et ne sacrifiez pas le fonctionnement normal du département à vos intérêts personnels.

Gatwick devint livide.

— Hmm, hmm, fit Michel. Les bureaux sont attribués aux professeurs et tant que les professeurs sont là, leurs bureaux restent. La solution temporaire de la bibliothèque me paraît la meilleure pour vos étudiants, Claire.

— Il faut penser à l'avenir, insista Claire. Je devrai bientôt embaucher de nouveaux chercheurs pour l'étape suivante de Wing 3000. J'ai besoin de place supplémentaire.

— Vous êtes donc parvenue à un accord financier avec vos collègues ?

Claire pinça les lèvres. Michel reprit :

— Alors c'est entendu, vos étudiants iront dans la bibliothèque. Pour changer de sujet, j'ai une communication à faire à propos de mon mandat de directeur du département. Vous savez qu'il se termine fin juin. J'ai demandé à la faculté de repousser cette échéance jusqu'au mois de septembre.

— Pour quelle raison ? questionna Claire.

— Eh bien, c'est plus commode, dit benoîtement Michel. Ça laisse plus de temps. Plus de temps pour réfléchir.

Claire Lanriel détestait que l'on soit ostensiblement évasif, mais elle ne trouva rien à dire pour forcer Michel à dévoiler son jeu. Mécontente, elle garda le silence.

* * *

Ce matin-là, Ricky et Monica partirent pour le mont Tremblant très tôt. Ricky était boudeur — il s'était à nouveau disputé avec Nancy — et ils ne dirent pas grand-chose pendant le voyage. Ricky avait ses écouteurs sur les oreilles et gardait les yeux fermés. Monica, tout en conduisant avec prudence sur l'autoroute mal déneigée, ne pouvait sortir Claire Lanriel de son esprit. Elle ne comprenait toujours pas — n'admettait pas? — ce qui lui arrivait. Au-delà des royalties, il y avait la brutalité de Claire à son égard. Qu'avait dit Christine Verlanges? Claire avait fait pleurer ses étudiants… mais Monica n'était pas une étudiante comme les autres! Elle était différente. Elle était différente parce que… parce que…

Elle jeta un regard à son frère. Ricky avait baissé le siège et se berçait doucement au rythme de sa musique. Monica serra plus fort le volant. Il ne fallait pas qu'elle pense à Claire : elle devait penser à cette journée de ski, à sa tentative de recoller les morceaux avec son frère. C'était ça, l'important. Elle introduisit un CD dans le lecteur et quelques instants plus tard l'ampleur fluide de l'ouverture du *Rheingold* envahit la voiture. May Fergusson avait acheté ce coffret au cours d'un de ses voyages en Europe et le lui avait prêté ; comme elle, Monica aimait bien Wagner, même si c'était parfois un peu long.

Son humeur s'éclaircit lorsqu'elle découvrit la station de ski. Le ciel du mont Tremblant était d'un bleu éclatant, et la neige toute fraîche. Le frère et la sœur se hâtèrent de louer leur équipement et quelques minutes plus tard déboulèrent sur les pistes, hilares et heureux. Ils skièrent sans s'arrêter jusqu'en début d'après-midi, puis, morts de faim, s'affalèrent dans un restaurant au pied des pistes et engloutirent une énorme assiette de frites couvertes de sauce, de mayonnaise et de ketchup qu'ils firent descendre par un bol de chocolat chaud. Monica se sentait toute molle et vit que Ricky était dans le même état. Ce dernier prit les devants :

— Et toi, ça va comment, ces temps-ci ?

Monica sentit un petit gargouillement de bien-être au creux de l'estomac. Depuis combien de temps son frère ne lui avait-il pas posé cette simple question ?

— Ça ne va pas très bien, en fait. J'ai des ennuis au travail, avec ma patronne.

Elle hésita, puis, voyant que Ricky attendait qu'elle poursuive — ou peut-être était-il tout simplement trop fatigué pour lui donner la réplique —, elle ajouta :

— J'ai eu une scène épouvantable avec elle, samedi.

En quelques mots elle lui raconta l'histoire. Alors qu'elle avançait dans la narration de leur dispute, son ton devint plus hésitant, ses mots plus difficiles. Elle se surprit à revivre la scène et le souvenir de Claire et de sa trahison la brûla de nouveau. Ricky la regardait avec une perplexité croissante. Soudain ses yeux s'écarquillèrent.

— T'as un *crush* ! T'as un *crush* sur elle !

— J'ai un *crush* sur qui je peux, gémit Monica d'un ton lamentable en plongeant le nez dans son bol de chocolat.

Puis, dans un sursaut de dignité mêlée de curiosité, elle demanda :

— Comment t'en es-tu rendu compte ?

— Quand tu parlais de Thierry, tu étais pareille. Tu regardais tes pieds et tu bafouillais.

Pour la première fois depuis des mois, Ricky dévisageait sa sœur avec une lueur d'intérêt.

— À quoi elle ressemble, ta patronne?

Monica hésita. À quoi ressemblait Claire Lanriel? Quelques mois plus tôt, elle était tombée sur un vieux film où l'actrice principale lui ressemblait comme deux gouttes d'eau, c'était vraiment frappant, mais elle ne se souvenait pas du titre du film et de toute façon ça ne dirait rien à Ricky. C'était une histoire invraisemblable avec un type en costume-cravate qui se faisait poursuivre par un avion dans un champ de blé…

— Blonde, mince, pas très grande, cheveux à mi-cou, très chic, toujours en tailleur…

— Elle attend la dernière minute pour te faire signer quelque chose, elle te *bullshite*… ça pue, Monica, ça pue. Elle essaie de te voler. Il faut que tu l'en empêches.

— Mais je ne peux rien faire! J'ai besoin d'elle, c'est ma directrice de thèse, je ne peux pas partir, je ne peux même pas me disputer avec elle, sinon je risque de perdre mon diplôme.

— Elle t'a coincée. Et elle a réagi comment, quand tu lui as dit que tu n'étais pas d'accord?

— Très mal, et je crois aussi qu'elle a été surprise. Surtout quand je me suis énervée.

— Tu t'es énervée?

— Eh bien, à un moment donné elle m'a demandé pourquoi j'étais… pourquoi j'étais aussi émotive et ça m'a… enfin ça m'a fait sauter au plafond. J'ai jeté la DD sur son bureau et je suis partie.

Ricky plissa les yeux.

— Tu lui as fait peur?

Surprise par la question, Monica hésita avant de répondre. Claire avait-elle eu peur? Ce n'était pas complètement impossible.

— Je ne sais pas trop. J'étais vraiment hors de moi. Je crois que ça ne m'était jamais arrivé à ce point. J'ai vraiment… hurlé. Ça l'a déstabilisée, c'est sûr.

— Il faut que tu joues là-dessus. Il faut qu'elle ait peur que tu lui exploses entre les doigts. Il n'y a que comme ça que tu pourras en tirer quelque chose.

Monica se rendit compte que leur conversation n'allait pas du tout dans le sens souhaité. Elle avait promis à son grand-père de parler à Ricky et d'essayer de le ramener à la raison — et voilà que, obnubilée par ses propres problèmes, elle détaillait devant lui sa relation avec Claire Lanriel ! Il était étonnamment perceptif, d'ailleurs. D'où lui venait cette science ? On n'a plus les petits frères qu'on avait. Mais, après tout, lui parler de ses problèmes était un moyen comme un autre de renouer les liens. Ricky tendit le bras par-dessus la table et lui prit la main. Elle tressaillit un peu à ce geste inhabituel.

— Tu t'en es aperçue quand ? demanda-t-il doucement. Tu crois qu'elle l'a remarqué ?

Il y eut un long silence, puis Monica soupira :

— Je ne pense pas… je crois que c'est venu tout seul, comme une évidence. Et je ne sais pas quoi faire.

— C'est le problème avec les *crush*… on n'y peut rien.

Maintenant, pensa Monica.

— On échange ? souffla-t-elle.

Ricky ne répondit pas et un voile froid traversa son regard. *Raté. Merde !* Il retira sa main et dit :

— Il faudrait que tu trouves quelqu'un à qui parler, quelqu'un à qui tu fais confiance, qui connaisse les ficelles et puisse te conseiller. Il ne faut pas que tu restes seule face à ce vampire. Il faut que tu te défendes.

— Claire n'est pas un vampire, protesta Monica faiblement.

En prononçant ces mots, elle réalisa qu'ils étaient faux.

Ricky avait raison : Claire *était* un vampire. Parler de ses déboires à quelqu'un, c'était une bonne idée, mais à qui ? Un autre prof ? Impensable. Un autre étudiant ? Inutile. Il fallait quelqu'un qui connaisse les ficelles, comme disait Ricky. Qui connaissait les ficelles du département ?

* * *

De retour dans son bureau après la réunion, Michel Berthier se demanda pour la énième fois qui avait pu envoyer les lettres anonymes. Qui avait des motifs de se plaindre de Claire ? Pratiquement la totalité du corps enseignant et du personnel du département. Claire faisait partie de ces gens qui font facilement l'unanimité… Il était peu probable qu'un étudiant soit responsable : comment aurait-il pu apprendre des événements qui s'étaient déroulés vingt ans plus tôt ? Il y avait quelque chose de bizarre là-dedans, quelque chose qui lui échappait…

Il releva la tête lorsqu'on frappa à sa porte.

— Oui ?

Eric Duguet entra.

— J'ai épluché la thèse de Claire Lanriel et je n'y ai rien trouvé de suspect. À part la photo en question.

— Moi non plus, fit Michel en posant ses lunettes. Nos preuves sont ultra courtes.

— Justement. J'ai pensé que peut-être le corbeau en sait un peu plus long.

— Tu crois qu'il va distiller ses informations ?

— Je ne suis pas sûr. Il y a… il y a peut-être d'autres choses qu'il sait mais ne peut révéler sans trahir son identité. Il faudrait le faire parler.

Michel fit une moue perplexe :

— Pour le faire parler, il faudrait d'abord savoir qui c'est… et aussi savoir *comment* il a appris que Claire avait truqué ses résultats. On ne peut pas trouver ça par hasard en feuilletant la thèse. Le secret a été gardé pendant tout ce temps, c'est extrêmement curieux. Donc le corbeau doit avoir une raison bien précise de parler maintenant. Je me demande si nous n'avons pas affaire à quelqu'un qui a *peur*. Les gens qui ont peur peuvent être imprévisibles. Et parfois même dangereux.

* * *

En début d'après-midi, Claire s'attaqua au cas Monica. Elle avait toujours su compartimenter son esprit en sections étanches et écarter de ses pensées les problèmes qu'elle ne voulait pas traiter à chaud. Elle ne se souvenait pas d'avoir jamais été confrontée à une réaction aussi agressive de la part d'un étudiant et elle s'était donné quarante-huit heures avant de réagir à cette difficulté inattendue. Pourquoi Monica s'était-elle laissé emporter à ce point? C'était inacceptable. Claire réfléchit quelques instants puis commença sur papier le brouillon d'un courrier électronique.

De : Claire Lanriel
À : Monica Réault
Date : lundi 22 février

Monica,
Ce courriel fait suite à notre conversation de samedi après-midi concernant la Déclaration de Découverte portant sur les couches striées appliquées aux panneaux solaires. L'attitude que tu as choisi d'adopter m'a laissée profondément mal à l'aise et il faut que je t'explique pourquoi.
N'ayant jamais développé une invention comportant un potentiel commercial, il est normal que tu ignores les critères selon lesquels sont réparties les royalties susceptibles d'en découler...

Le courriel, assez long, se concluait par une nouvelle offre de partage, non négociable : soixante-quinze pour cent — vingt-cinq pour cent. Cela devrait suffire pour ramener Monica à de meilleurs sentiments et la convaincre de signer la DD. Claire n'avait cependant aucune intention de lui céder une telle part. Son offre initiale était parfaitement généreuse ; Monica l'avait refusée, tant pis pour elle. Elle n'aurait rien du tout. Il faudrait simplement quelques efforts supplémentaires pour parvenir à ce résultat. Quant à cette Déclaration de Découverte, elle devenait un leurre. Après tout, signer un contrat dont on n'est pas satisfait n'a pas d'importance si on peut par la suite le rendre inopérant.

Elle envoya le courriel à dix-sept heures puis quitta Richelieu et passa chez elle prendre Twiddlekat, qui n'allait pas mieux. À dix-huit heures trente, elle franchissait les portes de la clinique vétérinaire. Tout y était blanc, et une faible odeur de désinfectant flottait dans l'air. Une jeune réceptionniste l'accueillit et la fit asseoir dans une salle d'attente immaculée, avec des fauteuils de cuir et des tables basses où des magazines de mode étaient posés en piles bien nettes. Il n'y avait personne d'autre. Claire parcourait distraitement un article intitulé *Votre régime minceur personnalisé selon votre signe astrologique chinois* lorsque le vétérinaire l'appela.

— Madame Lanriel...

Il était petit, un peu gras, dégarni, avec des lunettes rondes et une blouse blanche, et il avait, pensait Claire, la politesse onctueuse et un peu collante des curés des films de Claude Chabrol.

— Ah, ces petits animaux-là, on y est tellement attaché... Que nous arrive-t-il aujourd'hui, madame Lanriel ?

Claire le suivit dans le cabinet de consultation en décrivant les symptômes. Le vétérinaire saisit Twiddlekat d'une main experte et commença à le palper. Il fronça les sourcils.

— Hmm, il n'est plus tout jeune, cet animal... Je vais faire une radio. Peut-être pourriez-vous retourner dans la salle d'attente ?

Claire obéit. Une quarantaine de minutes plus tard, la réceptionniste se présenta :

— Le vétérinaire voudrait vous voir, madame Lanriel.

Claire revint dans le cabinet. Le chat roux était couché sur la table d'auscultation et le vétérinaire, penché au-dessus de lui, faisait *t-t-t* d'un air réprobateur.

— Nous avons bien des ennuis, madame Lanriel, dit-il. Bien des ennuis. Certains conseilleraient une opération. Vu l'âge de l'animal et les possibilités de complication ou de rechute, je ne suis pas sûr qu'une option aussi lourde constitue le meilleur choix. Asseyez-vous, madame Lanriel, asseyez-vous.

Claire s'assit face à Twiddlekat. Le chat la regarda et les yeux verts clignèrent lentement.

— Que lui arrive-t-il ?

Le vétérinaire se tourna vers elle.

— Voyez-vous, le problème avec ces animaux-là, c'est qu'ils savent à merveille dissimuler la maladie ou la souffrance — par instinct d'autoprotection, bien sûr. Malheureusement, il est souvent bien tard lorsque les symptômes deviennent assez prononcés pour attirer l'attention de leur propriétaire. Et lorsque le chat cherche finalement à se cacher, c'est un signe qui ne trompe pas.

Claire avait froid. Elle n'aimait pas les précautions dont s'entourait le vétérinaire. *Lorsque les symptômes deviennent assez prononcés, il est souvent bien tard.* Lorsqu'elle l'avait pressé de questions, le médecin qui avait diagnostiqué le cancer du pancréas de Hughes avait employé des mots similaires.

Elle croisa les bras. Elle avait pris sa décision.

— Vous croyez qu'il souffre ?

— C'est probable, oui.

— Et... vous déconseillez l'opération ?

Le vétérinaire hocha la tête. Claire se leva, s'approcha de Twiddlekat et le caressa. Le chat émit un faible ronron et lui lécha le bout des doigts.

— Nous pouvons nous charger de tout dès maintenant, madame Lanriel. Ou encore vous pouvez le ramener chez vous et attendre quelques jours. Je peux prescrire des analgésiques.

— Non. Je ne veux pas qu'il souffre. Allez-y, docteur. Maintenant.

Le vétérinaire prit un rasoir électrique et dénuda une patte arrière. Les touffes de poils roux tombèrent et Claire en ramassa une qu'elle glissa dans une poche extérieure de son sac. Twiddlekat parut un peu étonné et redressa la tête mais ne protesta pas.

— Je vais chercher ce qu'il faut, madame Lanriel.

Il sortit et Claire plongea son visage dans l'odeur familière et chaude de la fourrure de son chat. Elle resta là à lui murmurer à l'oreille jusqu'à ce qu'elle entende le vétérinaire revenir. Twiddlekat dressa les moustaches. Le vétérinaire était accompagné d'une assistante en blouse blanche. Elle tenait à la main une énorme seringue et Claire poussa un petit cri.

— Vous n'allez pas...

— Rassurez-vous, madame Lanriel, dit le vétérinaire en sortant une autre seringue, bien plus petite. Nous commençons par une anesthésie locale. Mon assistante va le tenir.

La jeune femme posa sa seringue et prit doucement Twiddlekat, qui se laissa faire. Le vétérinaire s'approcha. Le chat vit la seringue et ses pupilles se dilatèrent. Il tenta de bondir et la jeune femme, surprise, faillit le laisser échapper.

— Tenez-le, mademoiselle !

Elle resserra sa prise. Twiddlekat miaula et se débattit. Affolé, il poussa un long feulement qui tourna au suraigu lorsque le vétérinaire planta la seringue dans sa cuisse. Puis, lentement, ses mouvements ralentirent. Il miaula faiblement. Claire dut s'appuyer contre une chaise.

— Il y a un sédatif avec l'anesthésique, expliqua le vétérinaire.

Il prit la grosse seringue et d'un geste expert la ficha dans la patte de l'animal. Twiddlekat poussa un soupir étonné et s'immobilisa, les yeux grands ouverts.

— Vous pouvez le déposer, mademoiselle.

Claire s'approcha, muette. Cela avait été si rapide... Le vétérinaire et son assistante ressortirent, la laissant seule. Lentement, elle approcha la main, caressa doucement le chat inerte et lui ferma les yeux. Elle resta immobile quelques instants, les doigts posés sur la tête tiède et immobile de Twiddlekat. Puis, les yeux brouillés, elle quitta la pièce.

L'assistante l'attendait à la réception et l'assura qu'il n'était pas utile qu'elle règle la facture tout de suite : on la lui enverrait par la poste. Claire la remercia machinalement et quelques instants plus tard se retrouva dans la solitude glacée de sa voiture.

Elle s'aperçut qu'elle tremblait. Elle sentait encore contre elle l'odeur de la fourrure de Twiddlekat, chaude, accueillante, presque sensuelle, une odeur qu'elle ne sentirait plus jamais. Mais au moins il n'avait pas souffert, lui. Les animaux étaient traités avec plus de compassion que les humains, pensa-t-elle amèrement. Par un mélange d'arrogance médicale et d'obstination de Nathalie, la carapace de morphine dans laquelle Hugues avait passé ses derniers jours n'avait pas été suffisante pour l'empêcher de gémir. Claire entendait encore les pleurnicheries horrifiées de sa belle-sœur :

— Je veux qu'il reste avec moi encore quelques jours, le plus de temps possible ! Si on force les doses, il va partir trop vite ! C'est monstrueux, ce que tu veux faire !

Hughes avait fini par partir, mais il avait souffert, Claire en était sûre. Elle avait toujours su quand son petit frère souffrait, même quand il avait voulu le lui cacher. Mais cette fois, dans son ultime besoin, elle n'avait rien pu faire pour lui.

Elle poussa un cri, mi-plainte mi-sanglot, et enfouit son visage dans ses mains. Elle resta longtemps ainsi, immobile ; puis un long frisson la saisit. Elle ne pouvait plus être seule. Elle avait besoin de quelqu'un. D'un geste lent, elle ouvrit son sac et prit son téléphone.

— Kevin ? C'est Claire. Je me demandais… est-ce que je pourrais te voir maintenant ?

Le cœur battant, elle attendit la réponse, puis elle ferma les yeux et murmura :

— Dis-moi où il faut que j'aille.

Elle écouta ses explications, raccrocha et démarra. Elle conduisit vite ; elle ne souhaitait plus que se perdre, s'oublier, se fondre dans le contact doux et l'odeur tiède d'une peau souple contre la sienne. Vingt minutes plus tard, elle arriva devant l'immeuble que lui avait indiqué Kevin, une tour impersonnelle dans le centre-sud de la métropole.

Kevin lui ouvrit la porte d'un appartement au septième étage et Claire le détailla avec la netteté d'un objectif photographique. Il portait des jeans noirs, un chandail blanc en grosse laine, et ses boucles épaisses tombaient sur ses épaules. Derrière lui, elle aperçut des murs pastel jaune-orangé et des lumières douces.

— Bonsoir, Claire.

— Bonsoir, Kevin.

Elle ôta ses chaussures, maladroitement, et les posa sur le plateau à bottes. Elle entendit de la musique, du piano, quelque chose de doux.

— Venez, dit Kevin. Nous étions au salon.

Les espoirs de Claire moururent comme de l'écume sur une plage.

— Je ne veux pas te déranger, souffla-t-elle.

— Vous ne nous dérangez pas.

Elle le suivit dans un couloir décoré d'affiches de vieux films français et américains. Il s'effaça devant elle et la fit entrer dans une grande pièce remplie de plantes vertes. Au centre de la pièce, il y avait un canapé en cuir crème. Sur ce canapé il y avait Kevin, avec un pantalon de survêtement bleu et un T-shirt blanc qui moulait ses épaules, ses biceps, ses pectoraux. Ses cheveux étaient noués en queue de cheval. Claire s'immobilisa.

— Vous ne vous doutiez de rien ? demanda le Kevin qui lui avait ouvert la porte.

Claire resta hébétée. Son cœur battait violemment contre ses tempes. Non, elle ne s'était doutée de rien.

— Voici Philippe, reprit-il. Moi, c'est Marc.

D'un geste, Philippe l'invita à s'asseoir près de lui sur le canapé. Encore sous le choc, Claire obéit.

— Je vais faire du thé, dit Marc.

Il s'éclipsa. Claire se tourna vers Philippe :

— Des… des frères… des jumeaux ? !

Philippe lui prit la main et elle se laissa faire, inerte. Face à elle, une Bette Davis glaciale en déshabillé noir triomphait au centre de l'affiche de *The Little Foxes*. Claire pensa qu'elle n'avait pas vu le film et ça la frappa. Elle aimait bien Bette Davis. Puis elle s'aperçut que Philippe parlait.

— ... de temps en temps. Les gens ne le savent pas, au bar d'escortes. Quand nous ne sommes pas ensemble, personne ne fait la différence.

Elle se tourna vers lui.

— Lequel m'a... rencontrée?

— Les deux.

Il posa la main à la base de son cou et commença à la masser doucement. Claire ferma les yeux:

— Est-ce que c'est toi qui m'as donné ton numéro de téléphone, l'autre jour? Tu es coiffé comme lui...

— Kevin, Claire. C'est Kevin qui l'a fait.

Kevin. Mais Kevin n'existe pas, pensa Claire. Kevin n'a jamais existé. Une larme naquit au coin de son œil et coula doucement sur sa joue. Philippe s'arrêta.

— Claire? murmura-t-il très bas, tout contre son oreille.

— J'ai... je... j'ai perdu mon chat aujourd'hui, bafouilla-t-elle en essuyant sa joue avec ses doigts.

Elle se força à rouvrir les yeux, à le regarder.

— Le vétérinaire l'a piqué, et ça a été... ça a été dur.

Elle n'en dit pas plus. Philippe reprit son mouvement contre son cou. Elle garda les yeux ouverts.

— Thé, dit Marc en revenant avec un plateau.

* * *

Plus tard, ils passèrent dans la chambre. Ils se montrèrent tendres, affectueux, prévenants, mais lorsque les gestes intimes devinrent plus secrets, Claire comprit qu'ils étaient surtout attentifs l'un à l'autre. Sans même avoir à se toucher, leur lien était le plus fort et ils la traitaient comme une partenaire à la fois centrale et accessoire, un simple moyen de réaffirmer leur propre proximité. Claire quitta leur appartement vers une heure du matin, plusieurs fois satisfaite mais toujours moins comblée.

Alors qu'elle roulait vers son appartement du centre-ville, l'image souriante et indifférente des deux Kevin dansant devant elle, ses yeux s'embuèrent. Dire qu'elle s'était... dire qu'elle avait *failli* s'attacher à ce garçon, au point de venir chercher le réconfort dans ses bras. Elle n'aurait jamais dû se laisser aller ainsi. Les hommes n'étaient pas fiables — plus par faiblesse que par dessein. La seule fois où elle avait tenté d'en rendre un plus fort, elle lui avait été arrachée, on l'avait rompue, détruite... Soudain elle découvrit qu'elle détestait Kevin. Elle était jalouse. Eux, ils avaient leur frère.

Elle ne voulut pas rentrer chez elle ; elle s'arrêta dans un McDo ouvert la nuit et engloutit deux Big Mac, mais tandis que la *junk food* ingérée à toute allure lui tombait comme un plomb mort dans l'estomac, elle se sentait dévorée par une faim que rien ne semblait pouvoir assouvir.

9

Le mardi matin, Christine Verlanges arriva au travail un peu plus tôt que d'habitude : il fallait vérifier que tout était prêt pour accueillir les étudiants de Claire. Elle enleva ses bottes, accrocha son manteau, alla remplir sa bouilloire et mit l'eau à chauffer, puis elle se rendit au fond de la bibliothèque, vers les fenêtres, là où les étudiants de Claire devaient s'installer. Devant les armoires qui contenaient les thèses, elle se figea.

* * *

Michel Berthier retournait la question de la thèse de Claire Lanriel dans tous les sens et n'arrivait pas à trouver une solution pleinement satisfaisante. Devait-il prévenir la Faculté et leur révéler l'existence des lettres anonymes — au risque que l'histoire dérape et même, *horresco referens*, soit rendue publique — ou devait-il se taire, quitte à se voir reprocher par la suite de n'avoir pas réagi assez promptement ? Il pourrait toujours prétendre n'avoir pas pris les lettres au sérieux, une mauvaise blague d'étudiant peut-être. Il pourrait même mentir effrontément et assurer n'avoir rien vu dans la thèse de Claire qui aurait pu laisser supposer une indélicatesse quelconque — après tout cette histoire de fraude photographique n'avait rien d'évident —, mais cela demandait la coopération d'Eric Duguet. Michel fronça les sourcils, agacé. Tout ceci le mettait dans une situation impossible. Et surtout, surtout... les photos de la thèse de Claire ne constituaient pas une preuve absolument irréfutable. C'était là qu'était le blocage.

— Pro... professeur Berthier?

Il leva la tête et vit Christine Verlanges dans l'ouverture de la porte. La bibliothécaire était toute pâle.

— Oui, Christine? Que se passe-t-il?

— Je ne... je ne sais pas. S'il vous plaît... s'il vous plaît, venez voir, professeur Berthier.

Intrigué, Michel se leva et la suivit. En entrant dans la bibliothèque encore déserte à cette heure matinale, il entendit le sifflement aigu d'une bouilloire. Christine se hâta de la débrancher puis souffla:

— Là-bas...

Michel fit quelques pas et découvrit ce qui avait troublé Christine. Sur chacune des portes vitrées de l'armoire qui abritait les thèses avaient été collées de grandes feuilles où était inscrit au feutre bleu: *LE PLUS GRAND OUTRAGE QU'ON PUISSE FAIRE À LA VÉRITÉ EST DE LA CONNAÎTRE, ET EN MÊME TEMPS DE L'ABANDONNER OU DE L'AFFAIBLIR.*

Christine Verlanges bafouilla:

— Ce n'était pas là hier soir quand je suis partie, et quand je suis arrivée ce matin je l'ai vu tout de suite. Je ne sais pas ce que c'est, je ne sais pas pourquoi c'est là. Qu'est-ce que c'est, qu'est-ce que ça veut dire?

Michel alla jusqu'à l'armoire et arracha les feuilles.

— Une mauvaise plaisanterie, sans aucun doute. N'y pensez plus.

Et il quitta la bibliothèque. Mais dès qu'il sortit, il hâta le pas, monta jusqu'à l'étage des professeurs, passa la tête dans le bureau d'Eric Duguet et dit :

— Tu peux venir me voir cinq minutes ?

Eric le rejoignit quelques instants plus tard.

— Que se passe-t-il ?

— Voici ce que Christine Verlanges a trouvé ce matin dans la bibliothèque, collé sur les portes de l'armoire des thèses.

Il étala les feuilles sur son bureau et Eric lut :

— *Le plus grand outrage qu'on puisse faire à la vérité est de la connaître, et en même temps de l'abandonner ou de l'affaiblir...* qu'est-ce que ça veut dire ?

— Ça veut dire, mon ami, que le corbeau s'énerve de notre manque d'action.

— Ça devient sérieux, murmura Eric.

— Ça l'a toujours été.

— Quand cela a-t-il été collé sur l'armoire des thèses ?

— Entre le départ de Christine hier soir et son arrivée ce matin. Plus probablement hier soir. Christine ne ferme pas à clé quand elle s'en va, c'est le service de nettoyage qui s'en charge vers dix-neuf heures trente. Il y a donc deux heures et demie au cours desquelles la bibliothèque est ouverte à tous les vents. N'importe qui a pu y entrer.

— Ou alors la personne qui l'a fait a la clé et a commis son acte plus tard, sans courir le risque d'être dérangé avec sa banderole.

— De toute façon, personne ne sait qui a les clés de quoi dans ce bâtiment, soupira Michel. Ça fait au moins dix ans qu'aucune serrure n'a été changée.

— Moi, la clé de la bibliothèque, je l'ai !... Mais ce n'est pas moi qui ai collé ce machin.

Il reporta son attention sur les feuilles.

— *Le plus grand outrage...* on dirait une citation !

— On va voir ça tout de suite.

Michel tapa quelques mots sur le clavier de son ordinateur. Puis il s'exclama :

— Eh bien, c'en est une ! Bossuet.

— Bossuet ? ! Un corbeau qui connaît Bossuet, ça limite pas mal !

— Ou un corbeau qui sait chercher des citations sur Internet. Ça limite un peu moins.

Eric s'assit, la mine sombre.

— Qu'est-ce qu'on fait ?

— Je ne sais pas. J'ai regardé les vieilles listes du personnel, qui mentionnent le lieu de travail des employés, pour tenter d'apprendre qui avait pu découvrir que Claire avait truqué sa thèse. Les étudiants qui étaient dans le même labo ou dans le même bureau qu'elle pendant sa thèse ont tous quitté l'université après l'obtention de leur diplôme. Notre corbeau n'est donc probablement pas parmi eux.

— Mais alors comment l'a-t-il appris ?

— Quelqu'un a dû parler, à l'époque. Peut-être un ragot entre étudiants, tombé dans des oreilles qui s'en sont souvenues, un membre du personnel par exemple. Je dois t'avouer que je suis dans le noir.

* * *

À dix heures du matin, Monica se réveilla. Elle s'étira longuement, heureuse et courbaturée. Elle se sentait d'excellente humeur. Et elle avait mal partout, ce qui était une sensation merveilleuse. Elle tourna et se retourna, retardant le moment de se lever. Mais après tout, pourquoi se lever ? Et si elle passait la journée au lit ? Elle était en vacances ! Elle entendit soudain un léger grattement sur la porte — un bruit qu'elle avait presque oublié.

— Entre !

Ricky vint la rejoindre, une tasse de café à la main. Il la lui tendit et dit :

— Je me demandais si tu allais finir par te réveiller !

— Apparemment oui, bâilla Monica. Merci pour le café.

— Je vais te laisser, je sors. Je ne sais pas trop quand je vais rentrer.

— Tu sors ?

— Je vais voir Nancy.

Il y eut un silence, puis Monica effleura le poignet de son frère.

— Promets-moi de faire attention, murmura-t-elle.

— Je fais mes choix, tu sais, et je les assume.

Monica reçut la remarque comme une gifle. La journée paraissait soudain moins belle.

— Tu veux autre chose ? demanda Ricky un peu plus froidement.

— Donne-moi mon ordinateur portable. Je crois que je vais passer la journée au lit.

Ricky obéit. En partant, il se retourna et dit plus doucement :

— Merci pour la journée d'hier. Bonne chance avec ta bitch.

Elle l'entendit descendre rapidement l'escalier et se renfrogna. Au bilan, elle avait complètement raté son coup. Elle avait voulu aider Ricky à se sortir du bourbier où il s'était fourré — et au lieu de ça c'était lui qui avait subi ses lamentations à propos de Claire ! Il avait même dit des choses tout à fait raisonnables. Monica se connaissait assez pour savoir qu'elle n'avait qu'une capacité d'écoute limitée, mais il était mortifiant de constater que son apprenti voyou de petit frère, lorsqu'il s'en donnait la peine, la battait à plate couture sur ce terrain-là.

— Eh, merde ! lâcha-t-elle.

Elle alluma son ordinateur. Son cœur fit un petit bond lorsqu'elle découvrit un courriel de Claire, qui datait de la veille. Elle l'ouvrit, pleine d'espoir, et découvrit un sermon dur, violent, culpabilisant, une leçon brutale et sans concession. Claire la traitait comme une gamine qui ne sait rien et qui a fait une belle connerie. Les larmes lui montèrent aux yeux. Mais bizarrement cette série de gifles se terminait par une offre de paix : un nouveau partage, un peu plus favorable, vingt-cinq / soixante-quinze. Monica ne voulait pas de guerre contre Claire Lanriel. Elle n'en avait jamais voulu. Elle retourna un courriel d'acceptation en étouffant quelque chose qui ressemblait à un sanglot.

* * *

Lorsque Claire Lanriel émergea du sommeil, bien plus tard que d'habitude, elle se sentit aussi fatiguée que lorsqu'elle s'était couchée. Elle avait fait des cauchemars toute la nuit, et les hamburgers de deux heures du matin pesaient encore sur son estomac. Seule dans son lit, yeux grands ouverts, elle eut soudain envie de voir le chalet, de marcher sous les arbres blancs, d'entendre la neige crisser sous ses pieds, de sentir l'odeur du froid et de regarder le lac gelé. Elle n'avait aucun rendez-vous de la journée, elle pourrait être là-bas en fin de matinée. Mais comment s'assurer que Nathalie n'y serait pas ? Elle prit son téléphone et composa le numéro du chalet, prête à demander un renseignement quelconque — la taxe foncière avait-elle été payée ? —, mais le téléphone sonna dans le vide. Parfait. Claire se leva, se prépara rapidement et prit la route. Peu avant d'arriver, elle rappela : toujours rien. Nathalie n'était pas là. Rassérénée, Claire se sentit presque de bonne humeur, même si le siège vide à côté d'elle lui rappelait que Twiddlekat ne grimperait plus jamais aux arbres pour chasser les écureuils. Elle aurait un nouveau chat; mais pas tout de suite. Pas si tôt.

En sortant de l'autoroute des Cantons-de-l'Est, le paysage était, comme toujours après une bonne tempête, superbe. Claire roulait entre deux murs de neige bordés par la forêt de sapins qui ployaient sous leur couverture blanche. Le ciel était d'un bleu pur, profond, presque violet. Elle arriva en vue du chalet; aucune voiture n'était garée sur le bord de la route. Nathalie était loin. Claire s'arrêta, enfila ses bottes et descendit jusqu'à la maison. Elle ouvrit la porte. S'immobilisa sur le seuil. Devint livide. Le chalet sentait — *puait* — le chien. Toutes les pièces — mais surtout le salon face au lac — sentaient le chien. L'odeur sale et humide avait tout envahi. Claire se laissa tomber sur le canapé avant de se relever précipitamment: il était couvert de poils! Elle sentit une rage froide l'envahir. Comment Nathalie avait-elle osé laisser son chien entrer dans *sa* maison et monter sur *ses* meubles? Elle se retourna, fit face au lac, et dit à mi-voix:

— Je me débarrasserai de toi, Nathalie. Quel que soit le moyen que je doive employer.

Puis elle ressortit du chalet. Le moment était gâché. Elle regarda le lac quelques instants et revint à la route. Elle remonta dans sa voiture, repartit et se gara un peu plus loin, à l'entrée d'un chemin qui menait à une petite maison en rondins dont la cheminée fumait. Quelques secondes plus tard, une vieille dame à la peau ridée et tannée par le froid et le soleil lui ouvrit la porte et s'exclama en la voyant:

— Claire! Quelle bonne surprise! Entre!

Claire l'embrassa et enleva ses bottes et son manteau, tandis que la vieille dame s'écriait:

111

— Édouard, c'est Claire ! Prépare le café !

Quelques instants plus tard, un homme âgé à l'air très distingué et aux cheveux d'un blanc de neige arriva et lui ouvrit les bras :

— Claire ! Je suis content de te voir ! Viens t'asseoir avec nous.

Il la conduisit dans une grande pièce qui tenait lieu de cuisine, salle à manger et salon et qui donnait sur la forêt et sur le lac. La pièce était meublée de fauteuils profonds avec des coussins brodés, il y avait une grande table et un vaisselier en noyer, des tapis épais et une cheminée où crépitait un bon feu. Édouard sortit des tasses en porcelaine et dosa trois cuillères de café en grain dans un moulin à poignée.

— Je crois que Simone a quelque chose à te montrer, dit-il. Elle a fait du rangement ces jours-ci, et elle a trouvé quelque chose qui pourrait t'intéresser.

Simone revint quelques instants plus tard avec une vieille photo aux couleurs pâlies. On y voyait Simone et Édouard, bien plus jeunes, au bord du lac. Il y avait devant eux un enfant de huit ou neuf ans qui jouait avec des briques Lego et un garçon un peu plus grand, cheveux courts et chapeau sur la tête, qui regardait l'objectif avec méfiance.

— Ça doit dater de 1975 ou 76, dit Édouard. Un des derniers étés que vous avez passés ici tous ensemble, avant que tes parents se séparent.

— Tu le reconnais ? demanda Simone. Ton frère et ses Lego !

Claire examina la photo, attendrie. Mais si l'enfant était son frère, alors le garçon avec le chapeau…

— Et ça, je suppose que c'est moi, avec ce chapeau et ces cheveux courts !

— Bien sûr ! Tu étais terrible avec tes cheveux, tu exigeais qu'on te les coupe dès qu'ils commençaient à te couvrir les oreilles ! Ton frère, par contre, ne les avait jamais assez longs.

Claire se regarda, comme on regarde une inconnue. Elle n'avait conservé strictement aucune photo de cette époque. Elle frissonna légèrement et posa le cliché sur la petite table. Elle s'enfonça dans le fauteuil et dit dans un soupir :

— Je suis contente d'être ici.

— On ne te voit pas beaucoup.

— J'ai énormément de choses à faire. Je n'ai pas le temps.

— Tu travailles trop, dit Simone, et tu as l'air fatiguée. Tu devrais venir quelques jours au chalet pour te reposer. Je pourrais te cuisiner un canard comme tu l'aimes, avec des pommes et des pruneaux. Et une salade de gésiers tièdes avec du chèvre. J'ai préparé les gésiers, il y a quelques semaines. Je les ai faits exprès pour toi selon ta recette française. Ils sont au congélateur !

— J'ai bien l'intention de venir plus souvent, dit Claire. Mais je veux être sûre d'être tranquille.

Il y eut un petit silence que Simone rompit :

— Ta belle-sœur, je suis certaine que c'est quelqu'un de très gentil, mais elle a son caractère.

— C'est une emmerdeuse et si je la vois un jour se noyer dans le lac, je n'irai pas la chercher, fit Claire.

— Ne dis pas des choses pareilles ! s'exclama Simone.

— Tu en serais bien capable, dit Édouard.

— De toute façon, ça ne servirait à rien puisqu'elle ne va jamais marcher sur la glace, dit Simone en remuant le sucre dans son café. Il va falloir trouver autre chose.

Ils éclatèrent de rire tous les trois. Claire savoura une gorgée de café bien chaud et répéta :

— Je suis contente d'être ici...

10

C'était le printemps. La montagne était couverte de fleurs et les nuages filaient dans le ciel. Des vaches brunes avec des taches blanches broutaient l'herbe verte, des vaches de montagne avec le poil épais et de longues cornes. Elles avaient une cloche autour du cou et quand elles s'approchèrent les cloches sonnèrent, un bruit désagréable, de plus en plus fort, strident, comme...

May Fergusson se réveilla brutalement et il lui fallut quelques secondes pour comprendre que le téléphone sonnait.

— A... Allô ?

— Ici Claire Lanriel. Il faut que je vous voie. Quand serez-vous à Richelieu ?

— Euh, je... dans deux heures ?...

— Très bien. Je vous attends.

Clic. May, encore hébétée, cligna des yeux. Claire Lanriel voulait la voir. Donc, on était un jour de semaine. Lundi ? Non. On était... mercredi, c'était ça. Lentement, les repères se mirent en place. May se sentait complètement déconnectée et elle regarda son réveil. Huit heures du matin — Claire l'avait tirée de son sommeil le plus profond. *Crazy cow.* Que lui voulait-elle ? Encore engourdie, May sortit de son lit, si chaud et si accueillant, et se traîna à la cuisine pour faire du café. Pourquoi y avait-il des Claire Lanriel pour emmerder l'humanité souffrante? Dieu est sadique et en plus il se lève tôt, pensa-t-elle en regardant le café couler lentement du percolateur. Et elle ne pourrait même pas prendre son temps comme elle le faisait d'habitude! Pour être à Richelieu dans deux heures, il ne fallait pas qu'elle traîne. *Crazy cow.*

Une heure et cinquante-cinq minutes plus tard, elle arrivait à Richelieu, après avoir passé le trajet à écouter en boucle l'ouverture de *1812* et *Une nuit sur le mont Chauve*. Rien de tel que les compositeurs russes pour se préparer au combat.

* * *

— Vous vouliez me voir?

Claire répondit à May sans daigner lever les yeux de son travail.

— Il me faut la liste des étudiants qui envisagent de poursuivre en maîtrise à la rentrée de septembre.

— La liste de…

— Les questionnaires ont été envoyés début janvier. J'ai besoin des réponses.

— Je pensais m'en occuper bientôt. Mais il n'y a pas urgence…

— Je serai absente la semaine prochaine. Il me faut la liste pour après-demain vendredi au plus tard.

May capitula. À quoi bon? Elle alla prendre un café au distributeur — liquide grisâtre et surmonté d'une mousse suspecte —, revint dans sa voiture, alluma une cigarette et se demanda ce que serait sa vie si Claire Lanriel devenait directrice du département.

Au moment où May retournait à pas traînants chercher un café supplémentaire, Hubert Gatwick reçut un courrier électronique de Claire Lanriel.

De : Claire Lanriel
A : Hubert Gatwick, Eric Duguet, Michel Berthier
Date : mercredi 24 février

Chers collègues,
Notre bref échange au cours de la réunion de la semaine dernière concernant le partage des royalties du projet Wing 3000 m'a surprise et m'a laissée incertaine quant à la suite qu'il convient de donner au projet.
Il me paraît évident que certains principes fondamentaux de la recherche universitaire seraient gravement mis en cause si la distribution de ces royalties n'était pas conforme aux contributions respectives que nous apportons à ce projet. Comme l'indiquent les rapports d'avancement rédigés jusqu'à présent, et qui ont été approuvés par les professeurs Duguet et Gatwick, la contribution de mon équipe est, de loin, la plus importante. Si nous devons figer de façon définitive la part des retombées de chacun, ce partage doit refléter la réalité que ces rapports décrivent. Je propose donc un partage comme suit : 25 % pour le prof. Eric Duguet, 25 % pour le prof. Hubert Gatwick, 50 % pour moi-même.
Conformément aux vœux exprimés par le professeur Berthier, je souhaite que nous puissions conclure le plus rapidement possible une entente basée sur les principes essentiels que je rappelle ci-dessus.
Meilleures salutations,
Claire LANRIEL

Gatwick sentit un mélange de lassitude et d'exaspération l'envahir. L'équipe de Claire aurait fourni cinquante pour cent du travail effectué?... Foutaise. Ce qui était certain, c'est que les travaux de son équipe occupaient au moins cinquante pour cent des rapports qu'elle rédigeait, rapports qu'il avait, c'est vrai, validés avec Duguet. Gatwick se souvint de la façon dont elle avait introduit l'idée de ces rapports, à la fin de la réunion où le projet avait été officiellement lancé.

— Il serait bon de rédiger un court rapport d'avancement à la suite de chaque réunion technique, un document informel sous la forme d'une note de quelques pages, pour nous-mêmes et pour Michel. Je peux m'en charger.

Hubert et Eric avaient distraitement approuvé. Les premiers temps, les rapports étaient restés succincts. Puis, graduellement, ils avaient pris de plus en plus de volume, et avaient de plus en plus fait la part belle aux travaux de l'équipe de Claire. Au fond, on ne pouvait s'empêcher d'éprouver une certaine forme d'admiration pour Claire Lanriel. Elle ne cesserait jamais d'être elle-même. Tous les moyens étaient bons pour obtenir ce qu'elle avait décidé vouloir. Et on finissait toujours par s'apercevoir à son propre détriment qu'elle ne faisait jamais rien au hasard.

Soudain une idée surgit dans l'esprit de Gatwick. Et s'ils négociaient? Claire voulait quelque chose, certes — mais lui aussi! S'il acceptait de céder à Claire les royalties qu'elle réclamait, en échange d'un engagement de sa part de le laisser en poste après sa retraite au cas — probable — où elle finirait par succéder à Berthier? Gatwick eut un petit frisson de plaisir. C'était une excellente idée! La solution à tous ses problèmes! Mais comment tourner la chose? Il plissa les yeux. Les promesses faites par Claire avaient à peu près autant de chance de se réaliser que les prédictions d'un horoscope ou d'un économiste. Il devait lui arracher quelque chose de plus concret, par exemple la planification du projet pour les années à venir, avec son rôle dûment notifié. Il se frotta les mains. Elle ne pouvait qu'accepter ! Ainsi, ils auraient tous les deux ce qu'ils souhaitaient avoir. Il pourrait même lui offrir de l'appuyer si elle briguait la succession…

* * *

Après le message de Claire, Monica décida d'interrompre ses vacances pour venir signer la Déclaration de Découverte et mettre fin à ce mauvais rêve le plus vite possible. Le mercredi, à dix heures trente, elle gravissait les escaliers du bâtiment, la gorge nouée. Comment Claire l'accueillerait-elle ? Y aurait-il, comme dans le courriel, des reproches, des critiques, ou peut-être pire encore, une froideur distante ? Le cœur de Monica se mit à battre plus vite et elle regretta presque de s'être opposée à Claire. Passer de 15 % à 25 % justifiait-il une telle violence ? En approchant du bâtiment, elle vit May Fergusson fumer dans sa voiture et lui fit un signe de la main, mais May ne répondit pas. Elle semblait absorbée dans ses pensées et tirait sur sa cigarette. Monica monta les étages vers les bureaux des professeurs. Lorsqu'elle arriva devant la porte entrouverte du bureau de Claire, elle se redressa, prit une profonde inspiration et frappa.

— Entrez.

Claire se leva et vint la saluer, tout sourire. Elle portait un tailleur vert pâle que Monica ne lui connaissait pas ; la couleur ne lui va pas, décida-t-elle.

— Je suis très contente de te voir, Monica ! Je suis heureuse que nous ayons réglé cette question des royalties. Nous allons pouvoir continuer le travail prometteur que nous avons entamé. Assieds-toi.

Monica ne s'attendait pas à un accueil aussi chaleureux et murmura une vague phrase d'assentiment. Claire lui tendit un document nettement plus mince que le précédent :

— J'en ai profité pour revoir la Déclaration de Découverte. Cette nouvelle version est plus concentrée.

Monica parcourut le texte ; il ne comportait aucun des détails de la version précédente, il n'y avait qu'un descriptif assez vague du projet et de son potentiel. Elle en fit la remarque.

— Les détails techniques n'ont pas nécessairement leur place dans une DD, répondit Claire. Une description générale suffit.

Monica se rendit à la dernière page et elle vit la répartition promise des royalties : 75 % — 25 %. La tension quitta ses épaules. Leur dispute était oubliée, Claire avait manifestement décidé de ne pas lui tenir rigueur de leur accrochage et leur relation était à nouveau harmonieuse, comme avant, comme elle n'aurait jamais dû cesser de l'être. Connaissant Claire, il y avait quand même de quoi être étonnée que tout redevienne normal aussi rapidement ! Peut-être Claire avait-elle réalisé qu'elle avait été trop dure avec elle ? Oui, elle avait dû réfléchir et avait compris qu'elle était allée trop loin, et c'était sa manière de lui faire comprendre qu'elle assumait sa part des torts. Et puis, chuchotait une petite voix en elle, le combat avait payé. Sans cette scène, elle n'aurait jamais obtenu 25 % des royalties. Toute à sa satisfaction et à son bonheur retrouvé, Monica ne se demanda pas pourquoi sa directrice de thèse s'était donné la peine de rédiger une Déclaration de Découverte simplifiée. Elle prit le stylo que lui tendait Claire et signa.

* * *

— J'ai pris une décision, dit Michel Berthier à Eric Duguet. Il faut avancer sur cette histoire, le message dans la bibliothèque ne nous laisse pas le choix. Le corbeau ne va pas nous lâcher. Lundi, Claire part pour quelques jours en France. Dès son retour, je l'informerai de la teneur de ces lettres anonymes, et si elle en dément le contenu, ce qui est plus que probable, je refilerai le bébé à la faculté et ça deviendra le problème de quelqu'un d'autre. Ça nous donne une grosse semaine pour en savoir plus auprès du corbeau et tenter de régler la chose en interne. Ça te va ?

— Ça... me va.

— Je pense qu'à partir du moment où la faculté sera informée, la candidature de Claire à ma succession sera très compromise. Ce qui fait le plus peur à nos supérieurs, en dehors d'un scandale, est très certainement la perspective d'un scandale.

Eric se sentit légèrement mal à l'aise. Il y avait quelque chose qui ne collait pas dans ce que Michel racontait, quelque chose de pas tout à fait *cartésien*.

— Comment pensez-vous tirer profit de l'absence de Claire ? Je sais que l'idée de pousser le corbeau à en dire plus vient de moi, mais, concrètement, comment allons-nous nous y prendre ?

— Eh bien, c'est très simple. Je vais le lui demander.

Eric ouvrit de grands yeux.

— Vous savez qui c'est ?

— Je le pense, oui.

— Ah.

— Comme tu dis, fit Michel avec un petit rire.

Il se leva, alla chercher un classeur dans une armoire, en sortit quelques feuillets et dit :

— Dans tout roman policier qui se respecte, Hercule Poirot ne dévoile le coupable qu'à la fin et dans l'intervalle ce pauvre Watson — ou est-ce le capitaine Hastings? — en est réduit à imaginer toutes sortes de choses invraisemblables. Mais tu n'es pas Watson. Jette un coup d'œil là-dessus : c'est la liste des gens qui travaillaient au département pendant que Claire faisait sa thèse, je t'en ai déjà parlé. Je l'ai reprise hier soir avec un bon porto et j'y ai découvert quelque chose qui m'avait échappé à la première lecture.

Eric parcourut lentement la liste que Michel lui tendait.

— Ah, voici Claire…

— Note le numéro de son laboratoire. C'est là qu'elle travaillait, c'est là qu'elle a pris les photos.

— Donc on cherche quelqu'un qui travaillait au même endroit.

— Exactement.

Eric tourna une feuille, puis une autre. Soudain il sursauta.

— Daniel Verlanges…

— Exactement.

— Qui est-ce ? Un lien de parenté avec Christine ?

— Son cousin. C'est même lui qui l'a fait entrer au département comme bibliothécaire. Elle sortait de l'école, il s'est débrouillé pour qu'elle fasse son stage ici, et elle a été embauchée. J'avais oublié cette histoire. Et tu vois que Daniel Verlanges a passé deux ans dans le même labo que Claire, où il travaillait sur sa propre thèse pour le département. Le voilà, notre témoin ! Il a compris ce que Claire avait fait et il s'en est, à l'époque, ouvert à sa cousine qui, étant quelqu'un de discret, n'a rien dit. Vingt ans plus tard, Claire Lanriel veut supprimer la bibliothèque pour y installer des bureaux et Christine Verlanges craint de perdre son emploi. Elle se souvient de cette vieille histoire. Cela pourrait-il lui donner un moyen d'empêcher la professeure Lanriel de devenir directrice ? Elle hésite ;

il y a quelques semaines elle me demande si la bibliothèque disparaîtra et je lui réponds la vérité : ça dépendra de
mon successeur. Christine voit qu'elle n'a plus le choix.
Elle prend son courage à deux mains, m'envoie une lettre
anonyme, t'en envoie une — elle a dû comprendre que
Claire n'était pas dans tes petits papiers — puis elle s'angoisse, s'affole, insiste, colle sur l'armoire des thèses cette
citation très littéraire — rien que ça aurait dû nous mettre sur la piste —, et à l'heure qu'il est, elle doit se ronger
les sangs, à la fois terrorisée à l'idée qu'on la démasque
et effrayée à l'idée que Claire puisse devenir directrice.
Je t'avais dit que c'était la peur qui motivait cette histoire.

Eric réfléchit quelques instants. Tout cela semblait
fort logique, mais il était quand même un peu surpris.
Christine Verlanges, si discrète, si effacée…?

— Qu'allez-vous faire ?

— Je vais parler à Christine et essayer de savoir si elle
a autre chose à nous dire. Et je voudrais surtout savoir si
d'autres que nous ont bénéficié de sa correspondance.

* * *

Ce soir-là, Eric retrouva Todd dans un restaurant de
sushis qui venait d'ouvrir dans un entrepôt du centre-
ville reconverti en appartements chers et en boutiques
plus chères encore. Le décor était très noir, le saké très
fade, et les sushis très secs.

— Ce saké n'a pas de goût, dit Eric.

— Il faut le passer trente secondes au micro-ondes,
dans le petit bol. Ça dégage le parfum.

Du saké au micro-ondes? Eric se demanda si Todd se
moquait de lui mais décida de ne pas lui poser la question. En général, Todd ne plaisantait pas.

— Ça va mieux, tes problèmes au travail ? Ton corbeau ?

— Oui, enfin non... C'est un peu compliqué.

Il s'interrompit. Il se sentait morose, comme si Todd était déjà loin. Sur une impulsion il ajouta :

— Par contre, il y aurait une possibilité que je devienne directeur du département.

— Ce serait bien, dit Todd.

Ce serait bien ? Pourquoi ? Une fois Todd parti à Vancouver, la vie serait moins agréable. Elle passerait plus lentement, aussi. Le moment était-il venu de se consacrer à sa carrière ? Comme les vieux... comme Claire Lanriel.

— Sais-tu s'il y a des postes de profs ouverts à l'université de Colombie-Britannique, à Vancouver ? poursuivit Todd.

— À l'UBC ? J'imagine. Pourquoi ?

— Tu pourrais regarder s'il y a des choses intéressantes pour toi là-bas. Si tu veux.

Eric but un peu de saké. Subitement, il avait bien meilleur goût.

— Honnêtement, il y a assez peu d'espoir. Les postes disponibles à l'UBC sont aussi convoités qu'à Richelieu ou qu'à McGill. Il faut avoir exactement le profil qu'ils recherchent.

— Et si tu obtenais le poste de directeur du département à Richelieu ? Ça n'aiderait pas ?

— Si, bien sûr ! Ça fait toujours bien dans un CV. Mais directeur, c'est pour quatre ou cinq ans, au moins.

Il y eut un silence, puis Todd dit doucement :

— Dans l'intervalle, il y a les avions. Moi, ça me plairait.

Eric sentit quelque chose de chaud naître au creux de son ventre. Il regarda Todd, droit, brun et réservé, qui mangeait un sushi de tilapia avec ses baguettes. Le spectre de Claire Lanriel pâlit et disparut.

11

Claire Lanriel aimait Paris. Elle avait découvert la ville au moment du divorce de ses parents, lorsque son père français l'avait ramenée avec lui. La gamine de dix ans avait été fascinée, et Claire avait toujours gardé en elle cette impression de grandeur inaltérable que lui avait alors faite la Ville-Lumière. Elle descendait toujours dans un hôtel du quartier du Père-Lachaise et aimait à se rendre à pied jusqu'au Louvre, traversant d'abord les quartiers populaires de l'est de Paris et l'animation de la rue de la Roquette jusqu'à la Bastille, puis le boulevard Henri-IV, plus chic et plus froid, pour passer la Seine vers l'île Saint-Louis et ses vieilles rues étroites, avant de longer Notre-Dame et de revenir enfin sur les quais, face à la Conciergerie, vers la splendeur interminable de la façade du Louvre. Même en hiver, la longue balade était agréable. En ce lundi 1er mars, il faisait beau, l'air était vif, les arbres nus. C'était au cours de telles marches que Claire pouvait regretter de ne pas s'être établie en France. Mais les circonstances en avaient décidé autrement.

Lorsqu'elle arriva au restaurant, elle vit qu'Alexandra était déjà là, et elle l'observa un instant à travers la vitre. La jeune fille regardait la carte sans paraître y prêter trop attention. La forme des yeux, le contour du nez et de la bouche — elle lui ressemblait beaucoup. Mais ses épais cheveux noirs, rebelles et bouclés, lui venaient de son père. Les hésitations, les incertitudes, la fragilité aussi. Claire entra dans le restaurant. Alexandra l'aperçut et son visage s'illumina.

— Maman, dit-elle.

Elles s'embrassèrent et Claire Lanriel s'assit face à sa fille.

— Tu as l'air en pleine forme, Alexandra.

— Toi aussi ! Je suis contente que tu sois venue à Paris. On se voit si rarement !

— Tu sais que tu peux venir à Montréal quand tu le souhaites.

— Je viendrai finir mes études au Québec. Je te le promets.

Claire commanda un gin tonic et demanda :

— Comment va ton père ?

— Très bien. Et... et Camille est enceinte. Un garçon. Je ne sais pas s'il t'en a parlé...

Claire se figea un très court instant puis lança d'un ton léger :

— Tu vas avoir un petit frère, alors.

— Je l'aurai attendu longtemps, dit Alexandra avec une trace d'amertume.

— Eh bien, je vais passer un coup de fil à ton père pour le féliciter. Je suis heureuse qu'il ait refait sa vie. Et je suis contente de te parler de vive voix, Alexandra. Il faut que nous discutions d'un sujet un peu délicat.

— Quel sujet ?

— J'aimerais racheter ta part du chalet.

Le visage d'Alexandra s'assombrit.

— La maison de Grannie au bord du lac ?

— Je veux contraindre Nathalie à me céder sa part. Et pour cela il faut que je sois majoritaire.

Alexandra la dévisagea, la mine fermée.

— Tu ne peux pas forcer Nathalie à vendre, finit-elle par dire.

Claire esquissa un sourire.

— La future avocate qui parle...

Mais Alexandra ne lui rendit pas son sourire. Ses doigts étaient crispés sur sa serviette.

— C'est pour ça que tu es venue à Paris, je suppose.

— Cette femme est une sangsue. Il faut que je m'en débarrasse.

— Et tu as fait le voyage jusqu'ici simplement pour racheter ma part...

Claire poussa un soupir exaspéré.

— Alexandra, ta grand-mère a jugé utile de te léguer une part de son chalet. Assume les responsabilités qui vont avec. Cesse de réagir comme si tu avais de l'eau sucrée à la place du cerveau. Tu as passé l'âge.

Les lèvres d'Alexandra frémirent. Claire ferma les yeux un instant et ajouta doucement :

— Je ne te comprends pas, Alexandra. Je t'ai élevée pour que tu sois libre, pour que tu aies les choix que je n'ai pas eus. Mais tu ne seras jamais libre si tu te refuses à affronter la réalité. Nathalie est une nuisance que je veux voir sortir de mon existence. En quoi cela est-il choquant ?

Alexandra secoua la tête.

— Je ne suis pas comme toi, maman...

Un silence. Puis Claire dit à mi-voix, comme pour elle-même :

— Hughes et moi étions très jeunes lorsque nos parents ont décidé de se séparer. Papa s'est installé à Paris en m'emmenant avec lui tandis que ta grand-mère est restée au Québec avec Hughes. Cet endroit est important pour moi, j'y ai laissé les souvenirs de mon enfance. Nathalie les pollue, les souille de sa seule présence. Je la chasserai. Je *dois* la chasser. Tu comprends ?

La voix de Claire s'était faite pressante. À contrecœur, Alexandra finit par hocher la tête. Puis elle haussa légèrement les épaules :

— C'est vrai aussi que pour le chalet je n'ai pas vraiment tenu ma promesse...

— Ta promesse ? Quelle promesse ?

— Ma promesse à Grannie, juste avant sa mort. J'étais petite, je devais avoir huit ou neuf ans, et elle m'a fait venir dans sa chambre alors que je n'avais pas le droit d'y aller, je m'en souviens encore, il y avait... il y avait une odeur de désinfectant qui m'a donné mal à la tête, et elle a ouvert les yeux, et elle m'a demandé si j'aimais le chalet, et je lui ai dit que oui, et elle m'a annoncé que dans ce cas elle m'en laissait un tiers, tout le monde aurait sa part, un tiers pour moi, un tiers pour toi, un tiers pour Hughes et Nathalie, et je lui ai demandé à qui serait la porte et comment on ferait pour entrer et aller dans son tiers, et elle m'a répondu que ça n'avait pas d'importance, mais qu'il y avait une condition, il fallait que je lui promette d'y passer tous mes étés dès que je serai grande, surtout si Hughes et toi y étiez, parce que c'était important d'avoir le sens de la famille même si on habitait loin les uns des autres. Ça m'a frappée, parce qu'elle me parlait en français. Tu sais qu'elle ne le faisait pratiquement jamais. Et j'ai accepté.

Claire eut un mouvement brusque et renversa son verre. Un garçon surgit de nulle part et le remplaça ; le silence s'installa, qu'Alexandra finit par rompre :

— Maman, je peux te poser une question ?

Claire s'éclaircit la gorge.

— Évidemment, Alexandra.

— Aurais-tu... aurais-tu préféré avoir un garçon ?

Claire regarda sa fille, stupéfaite.

— Bien sûr que non ! J'étais très contente d'avoir une fille. Je n'ai jamais…

Elle se tut. Alexandra reprit, d'une voix qui tremblait un peu :

— Je me le suis longtemps demandé. Je me suis aussi demandé si tu étais déçue d'avoir une fille qui n'a pas ton caractère.

Claire avait retrouvé sa contenance.

— Je ne suis pas déçue, Alexandra. Tu ne m'as jamais déçue. Seulement, j'ai peur que tu ne sois pas heureuse. Tu as le cœur trop écorché.

— Parce que toi, tu es heureuse ?

— Raisonnablement, Alexandra. Je suis raisonnablement heureuse.

12

Dans la nuit du lundi au mardi, Christine Verlanges poussa un cri et se réveilla en sursaut, suffoquée, couverte de sueur. Le même cauchemar, une fois de plus. Claire Lanriel, immense et terrible, qui l'accusait d'avoir commis un crime et qui la prenait entre ses mains, des mains de géante qui la serraient, l'étouffaient jusqu'à ce qu'elle meure, Claire s'approchait alors d'elle et murmurait « Tu es morte. Maintenant je peux te tuer. » — et Christine criait, mais elle ne pouvait pas crier parce qu'elle était morte, elle n'avait plus de souffle, plus d'air, plus rien, on n'a plus de souffle quand on est mort, elle ne pouvait plus que *penser.*

Christine crut que son cœur allait faire exploser sa poitrine. Il ne pouvait pas battre aussi fort et rester accroché, ce n'était pas possible. Elle allait mourir. Elle *souhaitait* mourir. Il n'y avait pas d'autre issue. Elle allait être découverte, même si elle avait pensé à mettre des gants pour manipuler les lettres anonymes, à défaut d'empreintes digitales ils trouveraient autre chose, n'importe quoi, un test ADN, et elle serait accusée, chassée, jetée à la rue, elle devrait se défendre, mais elle savait qu'elle ne pourrait pas se défendre parce qu'elle était coupable, oh, elle n'aurait jamais dû envoyer ces lettres, elle n'aurait jamais dû essayer de s'attaquer à Claire Lanriel, elle aurait dû la laisser faire, la laisser la détruire, ç'aurait été tellement plus simple de ne pas résister, et maintenant elle allait tout perdre, plus personne ne voudrait d'elle, elle porterait à vie une marque indélébile, une marque d'infamie, comme la fleur de lys incrustée au fer rouge sur l'épaule de Milady dans *Les Trois Mousquetaires* qu'aucune crème ne pouvait faire partir, et maintenant son travail lui faisait peur, elle avait peur d'aller à l'université, peur d'entrer dans la bibliothèque, elle s'attendait à chaque instant à ce qu'on la démasque, à ce qu'on la condamne, et ce crime l'empêchait de suivre la thérapie du docteur Rhys puisqu'il découvrirait tout, un de ses ancêtres avait déjà dû commettre un acte semblable et maintenant c'était trop tard pour elle, elle aurait dû se faire soigner *avant* de le commettre à son tour, mais comment aurait-elle pu savoir, et maintenant elle ne pouvait plus rien faire, rien, sinon attendre la vengeance des dieux et de Claire Lanriel...

* * *

Deux heures et demie plus tard, Christine ouvrait la porte de la bibliothèque. Son cœur fit un bond lorsqu'elle vit Michel Berthier qui attendait, assis à sa propre place. Elle sut que c'était fini. Un calme inattendu, presque du soulagement, l'envahit.

— Bonjour, Christine, dit Michel. J'aimerais avoir une discussion avec vous. Pourriez-vous m'accompagner dans mon bureau?

* * *

Le même jour, Monica reçut un coup de téléphone d'Alain Robert, l'ingénieur de recherche de la Northern

Energy avec qui elle travaillait pour sa thèse. Le grand patron d'Alain — Patrice Desjardins, directeur Recherche & Développement — avait jeté un coup d'œil au dernier rapport d'avancement et avait quelques questions. Claire et Monica pouvaient-elles passer les voir au siège de la Northern, sur le boulevard René-Lévesque? Ah, malheureusement Claire était absente et ne reviendrait que vendredi — une conférence à Paris. Eh bien, Patrice n'était à Montréal que pour la journée, il serait en déplacement par la suite et il voulait régler ça assez vite. De toute façon, les questions qu'il souhaitait poser étaient d'ordre purement technique, Monica pouvait-elle venir seule? Monica hésita, puis accepta.

En début d'après-midi, elle entrait dans le grand hall de marbre et de verre de la Northern Energy. Quatre étages plus haut, Alain l'accueillit d'un murmure :

— Tu as bien fait de venir aussi vite, je crois que Patrice n'est pas très satisfait…

Il l'emmena dans une grande salle de réunion, sans fenêtres, avec un éclairage froid, de la moquette épaisse et une table ovale entourée de fauteuils de cuir noir. Monica n'y était jamais entrée. Alain la laissa pour aller chercher Patrice et elle en profita pour détailler la salle. C'était cossu, plus que le reste de l'étage, il y avait des tableaux au mur, des originaux, pas des copies, des choses modernes avec de gros traits jetés comme au hasard sur la toile.

— Ah, voilà notre chercheuse photoélectrique! s'exclama Patrice Desjardins en faisant irruption dans la salle.

Cheveux ras, verbe court et manières tranchantes, Patrice avait régulièrement des frictions avec Claire, mais Monica avait vite compris qu'il suffisait de le laisser parler pour chasser la vapeur. Une conversation productive devenait alors possible. À peine assis, il attaqua :

— J'ai lu vos derniers rapports, ils sont très bien rédigés, mais le travail sur nos panneaux solaires n'avance pas bien vite ! À quand cette couche augmentatrice de rendement que Lanriel nous a promise ?

Monica murmura un début de réponse qu'il coupa :

— Je sais que tu travailles bien, Alain me le dit et je lui fais confiance, mais je ne suis pas certain que tu ne fasses que ça ! Je crois que ta professeure Lanriel t'utilise pour les idées qu'elle a en tête et pas forcément pour le projet que nous payons ! On finance ta thèse, très bien ! Claire Lanriel nous a demandé en plus vingt mille dollars annuels de frais de consultant et on les lui paie, très bien ! Mais il faudrait quand même qu'en bout de course tout cet argent dépensé nous rapporte quelque chose !

Monica réprima un sursaut. Vingt mille dollars ? La Northern Energy payait *vingt mille dollars* de frais de consultant à Lanriel — chaque année ? Patrice continuait :

— Quand penses-tu pouvoir coller ta couche à nos panneaux solaires avec une bonne stabilité chimique ?

— Hmm, je ne suis pas sûre — trois ou quatre mois, peut-être.

— Et quand tu auras fini, selon toi, ce sera juste une curiosité de laboratoire, ou on pourra passer à l'échelle industrielle ?

Monica faillit répondre sans réfléchir qu'elle n'en savait rien, puis elle perçut un léger mouvement d'Alain. Elle comprit. C'était *ça* la question capitale, le seul point qui intéressait vraiment la Northern. Le terrain devenait d'un seul coup dangereux. Elle posa les mains à plat sur la table et dit en choisissant soigneusement ses mots :

— Eh bien, si la synthèse ne peut se faire que dans le labo, et en quantité limitée, ce n'est pas très intéressant pour vous. C'est pour ça que j'essaie de mettre au point un procédé qui puisse être employé à grande échelle, pour que vous puissiez l'utiliser dans vos usines.

— C'est de la musique à mes oreilles, fit Patrice, goguenard, en se balançant dans son fauteuil. Et ton opinion ?

— Je crois que je vais y arriver, répondit simplement Monica.

— Très bien, ma petite, je te fais confiance. Tiens-moi au courant. Et quand vous aurez quelque chose, nous irons manger des sushis quelque part. Ou du bœuf bourguignon, si tu préfères. À mes frais.

Un peu plus tard, dans l'ascenseur lambrissé qui la ramenait à l'entrée du building, Monica se demanda si elle devait se sentir furieuse ou saluer bien bas. Vingt mille dollars — on pouvait dire ce qu'on voulait de Claire Lanriel, elle avait un culot d'acier. Vingt mille dollars... c'était une vraie fortune ! Une nouvelle voiture, des meubles neufs si elle décidait de déménager, un voyage... Mais pour Claire cette somme ne représentait probablement pas grand-chose. L'argent avait dû transiter quelques jours sur son compte en banque avant de partir négligemment vers un placement financier. Une ligne supplémentaire dans un relevé annuel. Un détail.

Elle sortit de la tour de la Northern et, lentement, marcha jusqu'à l'arrêt du 80. Le bus la ramena quelques minutes plus tard à Richelieu. Elle se sentait pauvre, morose et déprimée. En arrivant devant le bâtiment, elle aperçut May Fergusson qui fumait dans sa voiture et elle eut envie d'une cigarette. Elle alla frapper à la portière.

— Je peux te parler cinq minutes ?

— Mais bien sûr ! Monte dans ma fumée !

Monica s'installa sur le confortable siège de cuir.

— Appuie sur le bouton, là en bas, le siège va chauffer...

— Je peux te piquer une cigarette ?

— Une cigarette ? L'heure doit être grave !

— Eh bien, ces temps-ci, ça ne se passe pas très bien avec Claire.

— Bienvenue au club, marmonna May. Que t'est-il arrivé ?

— Pour commencer, on a eu une grosse engueulade. À propos de royalties.

En quelques mots, elle résuma leur dispute. Puis elle soupira :

— Je ne sais pas pourquoi Claire a réagi comme ça. Quand j'ai refusé son offre, elle est partie instantanément sur le sentier de la guerre. Nous nous étions toujours bien entendues et au premier désaccord elle s'est changée en harpie.

— Claire est comme ça, fit May. Elle monte le volume autant que nécessaire pour obtenir ce qu'elle veut. C'est déjà pas mal qu'elle t'ait laissé dix pour cent de plus. Au moins, vous avez trouvé un compromis.

Monica ne répondit pas et tira plus fort sur sa cigarette.

— Il y a autre chose ?

— Il y a vingt mille dollars ! Vingt mille dollars qu'elle récupère chaque année ! C'est presque autant que mon salaire !

— Quels vingt mille dollars ?

— Pour ma thèse. Des frais de consultant qu'elle reçoit de la Northern Energy, même si c'est moi qui fais tout le boulot ! Ce n'est pas *juste*.

— Tu es sûre ?

— Je viens de l'apprendre du directeur de la R&D lui-même.

May eut un petit rire et alluma une autre cigarette.

— Eh bien, elle ne perd pas le nord…

— Ni la Northern, grinça Monica.

Elle finit sa cigarette, remercia May et sortit de la voiture. Laissée seule, May resta pensive puis éteignit sa cigarette à peine entamée, remonta dans son bureau, ouvrit un classeur et examina des papiers. Puis elle redescendit finir sa cigarette, une expression songeuse sur le visage.

* * *

L'entrepreneur ne sentait pas très bon, il n'avait pas l'air très propre non plus. Il dégageait une forte odeur de tabac froid, et aussi... de bière? C'était bien possible. Ce n'était pas la première fois que Nathalie rencontrait des gens de cette catégorie. En général, il suffisait de montrer un peu de fermeté et tout allait bien. Elle lui expliqua donc en détail ce qu'elle voulait pour la maison : un mur ici, un autre là, avec une porte qui ouvre vers l'extérieur. C'était très important, parce qu'elle voulait mettre une bibliothèque de l'autre côté et il ne fallait pas que la porte ouvre sur le meuble. Elle avait besoin de la bibliothèque puisqu'elle allait travailler au chalet. Bien sûr, cela aurait été beaucoup plus facile si le chalet avait été un petit peu plus grand mais elle ne pouvait pas pousser les murs, n'est-ce pas? Ah, et il y avait aussi la question de l'électricité. Il fallait ajouter une prise ici, et une autre là. Au départ de quelle ligne? Comment pouvait-elle le savoir? Elle faisait appel à lui parce qu'elle ne savait pas, justement! Et puis, il fallait élargir la porte-fenêtre qui donnait sur la terrasse. Était-ce possible, à un prix raisonnable bien sûr? Cette porte était vraiment trop étroite. À quoi avaient pensé les gens qui avaient construit le chalet? Pour connaître le prix, il fallait qu'il appelle son bureau?... Ah, mais le portable ne passait pas ici, il fallait franchir le versant et redescendre dans la vallée.

— J'attends de vos nouvelles, lui lança-t-elle alors qu'il remontait d'un pas prudent le chemin glacé.

Elle referma la porte, satisfaite. Le chalet allait enfin devenir un endroit civilisé. On se demandait comment quelqu'un d'aussi difficile que Claire avait pu se satisfaire d'un lieu aussi peu pratique. Nathalie réchauffa le reste du thé du matin au four à micro-ondes et s'installa dans le canapé face au lac, Milou à ses pieds. Le téléphone sonna. Sans doute l'entrepreneur la rappelait-il pour lui indiquer le prix de la porte. Il avait fait vite, elle devait lui donner ce crédit.

— Allô ?

Mais ce n'était pas l'entrepreneur, c'était la vieille voisine, Simone, la femme d'Édouard. Il y avait un problème, Édouard était tombé sur la glace, pouvait-elle passer ? Ils avaient un petit service à lui demander. Bien sûr, répondit Nathalie. En raccrochant, elle pensa qu'elle devrait rapporter de Québec un de ses vieux téléphones à afficheur. Elle n'était pas là pour rendre service aux voisins, surtout à des voisins comme eux.

Édouard était allongé sur le canapé, son pied nu posé sur un coussin. Il s'était blessé à la cheville en essayant de déneiger la voiture, l'informa Simone. Ce n'était sans doute pas très grave, ce n'était même pas enflé — effectivement, constata Nathalie, qui détailla avec un léger dégoût les touffes de poils gris et blancs, et l'ongle du gros orteil, jaune et clairement atteint par un champignon — mais il valait mieux qu'il ne retourne pas déneiger aujourd'hui. Simone et Édouard avaient largement de quoi manger, le frigo et le congélateur étaient pleins, mais ils avaient presque fini le pain et le lait et c'est pour cela qu'Édouard avait voulu sortir. Si Nathalie allait au village, pourrait-elle leur en rapporter ? Ah, mais Nathalie n'allait pas au village. Nathalie aurait bien voulu leur rendre ce service, mais Nathalie repartait pour Québec où elle était attendue, et elle ne pouvait se mettre en retard.

D'ailleurs, si Nathalie pouvait se permettre un commentaire, peut-être devraient-ils voir dans cet incident une sorte d'avertissement? Ils n'étaient plus tout jeunes, et était-il vraiment prudent de vivre toute l'année dans un chalet à la campagne? Qu'arriverait-il s'ils avaient un problème sérieux? Ne vaudrait-il pas mieux qu'ils s'installent en ville, dans une résidence prévue à cet effet, et venir au chalet de temps en temps, à la belle saison? Il n'y aurait pas toujours une voisine pour leur venir en aide en cas de problème! Ils devaient en tenir compte et agir de façon responsable. C'était ça, le problème, aujourd'hui: les gens ne prenaient plus leurs responsabilités. Nathalie ferait de son mieux pour les aider, bien sûr, mais ils ne pouvaient pas compter sur elle en permanence. Il fallait qu'ils se prennent en charge et comprennent qu'ils ne pouvaient pas rester dans cette maison isolée, à leur âge ce n'était tout simplement plus possible. Et maintenant, elle s'excusait, mais elle devait vraiment partir. On l'attendait à Québec.

* * *

Peu après sa conversation avec Monica, May Fergusson frappa à la porte de Michel Berthier, une feuille à la main.

— Il y a une question délicate dont j'aimerais vous faire part, dit-elle.

— Entrez, je suis là pour ça! dit Michel avec bonne humeur.

— Plus tôt aujourd'hui, j'ai parlé avec Monica Réault, qui en avait gros sur le cœur à cause de sa boss. Elle a laissé tomber dans la conversation que Claire Lanriel avait récupéré vingt mille dollars de frais de consultant de la Northern Energy pour sa thèse.

Michel eut un geste fataliste.

— Il y a des gens qui n'en ont jamais assez, et Claire Lanriel est très haut gradée dans cette confrérie. Mais ces frais de consultant sont parfaitement réguliers.

— Ils sont parfaitement réguliers tant qu'ils sont signalés au département. Voici la liste des sommes déclarées par le corps enseignant au cours des vingt-quatre derniers mois. Claire n'y figure pas.

Michel prit la feuille, la lut, puis s'exclama :

— Quelle... quelle sottise ! Ça ne coûte rien de le faire, mais elle s'y refuse. C'est invraisemblable, quand même...

— Elle est toujours comme ça, dit May en haussant les épaules. Les devoirs et les obligations, c'est bon pour les autres.

— Claire est une authentique aristocrate, version Ancien Régime. Monica Réault et la Northern Energy... c'est pour cette recherche sur les cellules photoélectriques avec Patrice Desjardins ?

— Exactement.

Michel leva la tête et regarda le plafond.

— Je connais Patrice, laissa-t-il tomber. Je pourrais lui passer un coup de fil et demander confirmation. Monica s'est peut-être trompée.

— Elle m'a dit le tenir de Patrice lui-même. Elle m'a même dit que c'était vingt mille dollars *par an*.

— Ah. Patrice parle beaucoup, mais c'est rarement au hasard. S'il a lâché cela devant Monica, c'est qu'il a des choses à reprocher à Claire. Elle devrait respecter davantage les gens avec qui elle travaille.

— Ce serait un changement tout à fait valable, observa May.

Michel enleva ses lunettes et la regarda en face.

— Dites-moi, May, en ce qui concerne ma succession, que pensez-vous d'Eric Duguet ?

May était habituée aux transitions brusques de son patron mais elle ne put dissimuler sa surprise.

— Eric Duguet? Ça me ferait très plaisir de travailler avec lui, mais… mais a-t-il des chances?

— Eh bien entre nous, cette histoire de frais de consultant non déclarés pourrait faire dérailler les ambitions de Claire.

— Vous croyez? Elle n'aura qu'à dire que c'est une erreur, qu'elle a oublié…

— Je vais demander à Patrice si ces vingt mille dollars sont bien arrivés chaque année. On peut avoir un oubli, c'est possible, mais plusieurs, ça devient de la négligence.

May ne répondit pas. Elle ne semblait pas convaincue. Michel dit doucement:

— C'est comme les gouttes d'eau. Un beau jour elles finissent par faire déborder le vase.

May travaillait avec Michel depuis plus de vingt-cinq ans et elle le connaissait bien. Elle releva vivement la tête:

— Il y a autre chose, alors?

— Oui, il y a autre chose. Le professeur Duguet est prévenu. Il doit commencer à agir.

* * *

Dans sa chambre d'hôtel parisienne, Claire Lanriel regardait mi-amusée mi-attendrie son ex-mari qui ronflait doucement. Il n'avait pas changé: il dormait toujours *après* — quelle que soit l'heure. Bougeant avec précaution pour ne pas le réveiller, elle sortit du lit et alla tirer le rideau pour éviter que le pâle soleil de mars ne vienne frapper son visage. Puis elle se recoucha contre lui. Les épais cheveux noirs étalés sur l'oreiller près d'elle étaient maintenant striés de gris, mais pour le reste il n'avait pas changé. Un moment à l'horizontale était toujours aussi satisfaisant. Quel dommage qu'en dehors de la chambre à coucher il fût si mou et si faible.

Elle s'approcha un peu plus, juste pour sentir sa chaleur. Elle ne le réveillerait pas tout de suite — peut-être un peu plus tard, quand l'appétit serait revenu. Elle s'étira. Son voyage à Paris était une réussite. Alexandra avait accepté de lui céder sa part du chalet ; avec les deux tiers de la propriété, sa main contre Nathalie devenait considérablement plus forte. Elle avait téléphoné à son avocat et pris rendez-vous. Ils décideraient ensemble d'un plan d'action.

Et elle avait aussi réglé le problème posé par la révolte de Monica Réault. La liste des étudiants fournie par May Fergusson et un bref échange de courriers électroniques lui avaient permis d'y trouver une solution convenable.

*   *   *

En toute fin de journée, Eric entrait en trombe dans le bureau de Michel Berthier.

— Alors ? En sortant de cours, j'ai aperçu Christine Verlanges. On dirait un fantôme !

— Elle m'a tout avoué. En fait, elle *voulait* tout avouer, elle est rongée par le remords. Dieu soit loué, l'affaire des lettres anonymes est close. J'ai déchiqueté devant elle la tienne, la mienne et les citations de Bossuet. Christine m'a certifié qu'il n'y avait pas eu d'autres missives. Et c'est effectivement son cousin qui lui a révélé l'indélicatesse. Il avait remarqué que Claire avait des problèmes avec ses résultats. Comme il ne l'aimait pas beaucoup, il la surveillait du coin de l'œil, et de beaucoup plus près à partir du moment où il l'a vue jouer avec le grossissement de son microscope. Il y a donc bien eu fraude de la part de Claire, c'est incontestable. Quant à Christine, je lui ai dit qu'on oubliait tout.

Elle est tellement soulagée qu'elle serait prête à soutenir la candidature de Claire Lanriel comme prix Nobel de la paix. Je ne lui ai évidemment pas dit que sa petite manœuvre de délation avait eu l'effet escompté.

Michel se tut. Eric s'exclama avec un grand sourire :

— On la tient ! On tient Claire !

— Pas tout à fait, rectifia Michel. Nous n'avons pas de preuve indiscutable.

— Mais il suffit de faire témoigner le cousin de Christine ! Où est-il ?

— Quelque part en Californie. Mais même s'il corrobore son histoire, ce sera du «il dit» contre «elle dit». Claire aura beau jeu de prétendre que, vingt ans après sa soutenance de thèse, c'est un peu tard pour une dénonciation. Elle pourrait même accuser Christine d'avoir monté tout ça pour se venger de ses projets de fermeture de bibliothèque. Avec Claire Lanriel aux abois, tout devient possible.

— Mais on *sait* qu'elle a truqué ses photos ! protesta Eric.

— J'en suis effectivement convaincu. Elle a commis une fraude scientifique de première ampleur au tout début de sa carrière.

— Claire est prête à tout pour faire avancer sa carrière. Ce n'est pas très surprenant d'apprendre qu'elle était déjà comme ça il y a vingt ans.

— Tu crois qu'elle mérite de garder son poste de professeur ? demanda Michel.

Surpris, Eric balbutia :

— Son poste ? Euh, je suppose, oui…

— Pourtant, elle a commis ce qu'un scientifique peut faire de pire. Ça ne te choque pas ?

— Tout ce que fait Claire Lanriel me choque, maugréa Eric.

— C'est une façon de voir les choses. Bien. Il va falloir agir. Tu te prépares ?

— À quoi ?

— À une promotion.

— Plus que jamais ! Et pour Claire ? Je veux dire, qu'est-ce qui se passe maintenant ? demanda Eric en se redressant.

— Je pense que je vais essayer de la convaincre de renoncer à ses ambitions. En douceur, et sans faire de vagues. Si cela ne suffit pas, j'utiliserai d'autres moyens.

13

Très tôt dans la matinée du jeudi 4 mars, une violente tempête s'abattit sur Montréal et Monica décida de travailler chez elle. Inutile de tenter d'affronter le chaos blanc et les rues non dégagées. Nancy vint chercher Ricky et Monica les regarda partir dans une grosse Volvo bleu foncé. La mère de Nancy avait de l'argent et en donnait sans compter à sa fille, afin qu'elle s'abstienne de gagner sa vie elle-même. Sans aucun succès. Une voiture de mémère ne suffirait pas à la civiliser. Monica soupira et retourna à son travail. Plus tard dans la journée, elle prépara un poulet en cocotte avec des herbes et de l'ail. Mais elle le mangea en tête-à-tête avec son grand-père le soir venu. Ricky n'était pas rentré.

* * *

Le lendemain matin, il n'était toujours pas là. Monica et son grand-père eurent pourtant une discussion normale autour de la table du petit-déjeuner, comme si l'absence de Ricky devenait une réalité à laquelle il faudrait se faire.

Monica mit plus d'une heure pour se rendre à Richelieu dans la circulation chaotique qui suivit la tempête de la veille. Lorsqu'elle arriva à Richelieu, elle vit la Nissan bronze de Claire stationnée à sa place habituelle. Claire était donc revenue. Mais Monica était à peine garée que son portable sonna. Son cœur bondit lorsqu'elle vit s'afficher le numéro de Ricky.

— Allô?

— Monica! Monica, il faut que tu m'aides, il faut que tu viennes…

— Où es-tu?

— Au palais de justice.

— Au palais de justice?!

— Ce n'est pas moi, c'est Nancy. Elle a été arrêtée. J'ai essayé d'appeler sa mère, je n'arrive pas à la joindre, je ne sais pas où elle est. Monica, il faut absolument que tu viennes…

— Mais qu'est-ce que…

— S'il te plaît, Monica, j'ai besoin d'aide. Je ne peux pas la sortir de là tout seul. Il faut que tu apportes cinq cents dollars cash.

— Cinq cents dollars?! Pour quoi faire? Qu'est-ce qu'elle a fait?

— Je ne sais pas, j'ai vu son avocate, mais je n'ai pas l'argent. S'il te plaît, je te rembourserai, promis, mais il faut que tu viennes, s'il te plaît…

Monica songea qu'elle serait prête à verser cinq cents dollars, et même mille, pour que Nancy reste en prison, à condition qu'elle soit incarcérée en Patagonie ou quelque part dans le nord de la Saskatchewan. Ricky, affolé, incohérent, continuait à insister et Monica finit par dire:

— Ne bouge pas. Je te rejoins.

Une demi-heure plus tard, elle arrivait devant le cube noir du palais de justice, dont la laideur volontairement moderne jurait avec l'élégante beauté classique de l'hôtel de ville et du château Ramezay voisins. Elle se retrouva au centre d'une immense ruche bourdonnante d'activité

146

et de gens qui allaient en tous sens. Où était son frère ? Ricky n'avait rien dit. Elle sortit son mobile, mais soudain on lui prit le bras.

— Tu as pu te libérer !

Ricky était près d'elle, très pâle et inquiet. Il portait le blouson de cuir que lui avait donné Nancy et des jeans noirs invraisemblablement serrés. Il avait les lèvres très rouges et Monica eut une pensée baroque — *Est-ce qu'il se maquille ?* — puis elle se demanda si certaines drogues, dures, n'avaient pas cet effet.

— Qu'est-ce qui se passe ? dit-elle d'une voix froide.

— Je ne sais pas, elle a été arrêtée hier après-midi, elle a passé la nuit en prison…

— Mais pourquoi ?

Ricky murmura quelque chose d'indistinct et demanda :

— Tu as l'argent ?

— Pas sur moi. Tu as dit qu'elle avait une avocate ?

— Là-bas, vers les salles d'audience.

Ricky l'entraîna au fond de l'immense hall d'accueil, d'où partaient une série de couloirs numérotés. Ils se dirigèrent vers deux femmes qui parlaient à voix basse. L'une d'elles était en tenue d'avocat, elle avait environ cinquante ans, beaucoup de classe, et Monica pensa que Claire Lanriel lui ressemblerait lorsqu'elle serait plus âgée. L'autre, plus jeune, maigre, en tenue de ville, avait le menton pointu et la peau luisante. Lorsqu'elle vit arriver Ricky et Monica, elle salua sa collègue et vint vers eux.

— Mademoiselle Réault ? Je suis maître Kroll. Suivez-moi.

Ils entrèrent dans une pièce minuscule avec un bureau et trois chaises. L'avocate s'assit derrière le bureau et s'adressa à Monica :

— L'amie de votre frère a été arrêtée lorsqu'elle s'est rendue au poste de police pour porter plainte.

Monica écarquilla les yeux. Nancy, dans un poste de police ? Pour porter *plainte* ?

— D'après ce qu'elle m'a dit, il s'agit d'une dispute avec une relation d'affaires qui s'est envenimée. Or, la partie adverse a porté plainte pour menaces de mort. D'où l'arrestation de votre amie.

Relation d'affaires ? ! Depuis quand les dealers de drogue réglaient-ils leurs comptes devant la justice ? De plus en plus ahurie, Monica se tourna vers son frère. Ricky dit fièrement :

— Nancy connaît la loi. Et ses droits.

— Nous allons demander une libération en attendant l'audience, qui aura lieu d'ici trois ou quatre mois. Il va falloir rassembler une éventuelle caution.

— Combien ? s'inquiéta Ricky.

— Il faut que j'examine le dossier et que je voie avec ma collègue de l'accusation.

— La mère de l'accusée pourra certainement payer, dit sèchement Monica en pensant à la Volvo.

Ricky lui lança un regard de reproche.

— C'est une très bonne nouvelle, dit l'avocate. Cela dit, j'ai été commise d'office et il faudrait me payer une avance sur honoraires.

Ricky se tourna vers sa sœur.

— Je te rembourserai, dit-il.

Monica comprit. Elle était coincée. Elle demanda à l'avocate :

— Combien vous faut-il ?

— Cinq cents dollars si vous payez comptant. Vous ajoutez treize pour cent de taxe si vous payez par chèque.

Monica n'en croyait pas ses oreilles. En plein palais de justice ? On était à Montréal ou à Bogotá ?

— Il y a un guichet juste au coin de Saint-Laurent, la pressa Ricky.

Cinq minutes plus tard, debout dans la neige à côté de son frère qui trépignait d'impatience, Monica regardait les billets sortir de la machine. Avait-elle déjà retiré autant d'argent d'un seul coup ? Une chance qu'elle venait d'être payée. Une chance ? ! La colère surgit en elle. C'était la dernière fois qu'elle se laissait manipuler par son frère. Ricky ne pouvait pas à la fois rejeter toute influence et appeler au secours quand il en avait besoin. Quand on ne veut rien donner, on ne peut rien exiger. Elle prit une profonde inspiration, attrapa une enveloppe à côté du distributeur, y glissa les billets et la lui tendit.

— Oh, merci, Monica, merci…

Monica le toisa et dit d'un ton glacial :

— Je te raccompagne jusqu'à l'entrée du palais de justice pour être sûre que tu ne perdes pas mon argent par mégarde. Ensuite tu te débrouilleras tout seul puisque tu m'as déjà dit que tu assumais tes choix.

Ricky recula. Monica lui prit le bras, durement. Ricky tenta de se dégager et elle resserra son étreinte. Ils avaient à peu près la même force physique, mais elle avait l'avantage de la colère.

— Si tu restes avec cette petite ordure, siffla-t-elle, tu vivras bien pire. Ne me refais jamais — tu entends, jamais — un coup pareil.

Ricky la regarda d'un œil apeuré où flotta brièvement une lueur plus inquiétante — de la haine ? — mais il ne protesta pas quand elle l'entraîna. Elle le tint fermement puis le lâcha lorsqu'ils arrivèrent devant le bâtiment. Sans un mot, il se dirigea vers les grandes portes.

* * *

En revenant à Richelieu, Monica décida sur un coup de tête d'aller voir Claire. Sa scène avec son frère l'avait secouée et elle n'avait pas envie de se retrouver seule dans son labo, face à elle-même, et moins encore de penser à ce qu'elle dirait à son grand-père. Mais lorsqu'elle arriva devant le bureau de Claire, elle vit par la porte entrouverte que cette dernière n'était pas seule. Une jeune fille était assise face à elle. Monica la connaissait vaguement : une étudiante en dernière année, une beauté pâle avec de grands yeux verts. Monica fit un pas de côté et jeta un regard distrait à la vieille carte affichée sur le mur à côté de la porte. Elle représentait les usines de l'industrie papetière au Canada, et Monica nota, amusée, que Trois-Rivières y était appelée *Three Rivers*. Elle n'avait jamais remarqué ce détail auparavant.

— ... un projet très intéressant, disait Claire. L'application de cette couche sur les panneaux solaires permet d'en augmenter le rendement de façon très importante.

Monica se figea. Panneaux solaires ? Rendement ? Elle essaya de tendre l'oreille. L'étudiante parlait, mais ses propos étaient inaudibles.

— Reviens me voir la semaine prochaine pour que je te présente à Monica, dit Claire. Je suis heureuse que tu aies décidé de travailler avec moi.

Monica recula vivement et s'éloigna. En redescendant vers son bureau, elle sentit le poids dans son estomac, plus fort que jamais. Elle s'assit devant son ordinateur éteint. Que cela signifiait-il ? Pourquoi Claire parlait-elle de panneaux solaires — de *ses* panneaux solaires — à une étudiante ?... Monica resta à fixer l'écran noir. Son frère, puis Claire... c'était trop. Trop. La porte s'ouvrit. Claire entra. Elle portait un tailleur rouge sang.

— J'ai une bonne nouvelle pour toi, dit-elle.

— Une bonne nouvelle ?

Claire s'appuya sur le coin du bureau.

— Tu m'as fait remarquer, il y a quelques jours, que le projet de couches striées sur les cellules photoélectriques te demandait beaucoup d'attention et que tu manquais de temps pour ta thèse, dont il ne fait pas partie.

Monica n'avait pas dit tout à fait cela, mais avant qu'elle puisse rectifier Claire poursuivit :

— Donc la bonne nouvelle : j'ai trouvé une étudiante en maîtrise qui va s'occuper de ça et te décharger de ces responsabilités.

Le poids dans l'estomac de Monica enfla brutalement. Elle balbutia :

— Une... une étudiante en maîtrise ?

— Elle s'appelle Leïna Vorostoff et elle commencera sa maîtrise en juin, dès qu'elle aura son diplôme. Elle va passer au labo la semaine prochaine et tu lui donneras tes articles et tes rapports pour qu'elle se familiarise avec le projet. Elle s'occupera de la couche striée.

— Mais je peux... je peux m'en occuper moi-même ! s'exclama Monica.

Claire secoua la tête.

— Ce n'est pas réaliste, tu me l'as dit toi-même. Tu seras évidemment impliquée dans le travail de Leïna, ton expérience sera précieuse, mais il faut maintenant que tu accordes le maximum de ton attention à ta thèse. La Northern Energy attend des résultats. Tu ne peux pas te laisser distraire par des projets secondaires.

— Mais...

Monica s'interrompit. Elle ne savait pas quoi penser de cette histoire d'étudiante, mais son instinct lui soufflait que quelque chose ne tournait pas rond — ne tournait pas rond du tout. Claire lui avait préparé un coup fourré de première classe, dont elle ne parvenait pas à distinguer les conséquences. Elle voulait... elle voulait la priver de son travail, de ses responsabilités, les confier à quelqu'un d'autre, alors que c'était elle qui avait tout fait, qui avait trouvé comment fabriquer cette couche striée qui augmentait le rendement, elle qui avait mis au point tout le procédé... Jamais! Jamais.

— C'est moi qui ai commencé ce travail et je souhaite le finir, osa-t-elle d'une voix qu'elle tenta de garder ferme.

— Ce n'est pas comme cela que fonctionne la recherche universitaire, répondit Claire avec un haussement d'épaules. Tu as commencé ce projet, et maintenant quelqu'un d'autre va prendre le relais puisque les contraintes dues à ta thèse t'empêchent de le poursuivre toute seule. Maintenant, si tu veux bien m'excuser, je dois te laisser. J'ai un rendez-vous à l'extérieur.

Monica sut alors que si elle acceptait la décision maintenant, elle ne pourrait plus revenir en arrière. Tandis que Claire se dirigeait vers la porte, elle lança :

— Je ne suis pas d'accord.

Claire s'immobilisa et se retourna.

— Tu n'es pas d'accord avec quoi ?

— Je ne... je ne veux pas que vous embauchiez cette étudiante. Ce projet, c'est vous et moi. Personne d'autre.

De surprise, Claire écarquilla les yeux.

— Tu n'es pas propriétaire de ton travail, Monica. Cette étudiante arrive en juin et va travailler avec toi, point final. Il n'y a rien à discuter.

— Ce n'est pas la question. Je veux poursuivre le projet seule.

— C'est complètement ridicule. Tu ne peux pas tout faire !

— Quand je vous ai montré mes résultats, vous m'avez promis de demander une subvention pour le projet et une augmentation de salaire. Je veux que vous respectiez votre promesse. Il n'était pas question d'étudiante, il n'a jamais été question d'étudiante.

Les narines de Claire se pincèrent.

— Je ne t'ai rien promis. J'ai évoqué une possibilité qui semblait raisonnable quand je l'ai formulée. Il m'est ensuite apparu que le projet était trop ambitieux pour que tu le mènes à bien seule, et j'ai rectifié ma position en conséquence. J'ai fait une erreur de jugement et je m'en excuse. Comprends à ton tour que tu ne peux pas à la fois développer la couche striée et finir ta thèse dans de bonnes conditions. C'est impossible.

— C'est parfaitement possible et je suis mieux placée que vous pour le savoir, s'écria Monica. Je ne veux pas de cette étudiante. Je refuse absolument.

Les joues de Claire blanchirent, ses pommettes se teintèrent de pourpre. Elle regarda Monica avec une froideur que cette dernière n'aurait jamais crue possible, puis elle dit lentement :

— Je ne peux pas continuer cette conversation, on m'attend. Je reviendrai te voir à mon retour et nous réglerons la question.

Elle sortit. Monica ferma les yeux, son cœur battant violemment dans sa poitrine. Elle était prise au piège. Elle avait défié Claire sur les royalties et elle en payait maintenant le prix. Bien sûr, Claire ne peut rien contre la DD — elle l'a signée — mais elle me prive de mon augmentation de salaire, elle me prive d'un travail intéressant, avec des débouchés commerciaux, elle m'en prive, elle me le prend.

Monica comprit soudain qu'elle ne devait pas être là lorsque Claire reviendrait. Elle avait besoin de réfléchir, elle avait besoin de temps pour penser, pour organiser ses arguments, elle ne devait pas agir sur le coup de l'émotion. Elle se leva, enfila son manteau et sortit. Si Claire lui demandait des explications pour son absence, elle lui raconterait les aventures de Nancy et Ricky et sa virée au palais de justice, ça ferait diversion. On ne déclenchait pas de guerre contre quelqu'un qui se battait déjà pour sortir son petit frère de l'influence des gangs de rue. Claire Lanriel n'était pas exactement mère Teresa, mais elle aurait bien trente secondes de compassion forcée.

Monica marcha dans le froid mordant jusqu'à la ville souterraine, engloutit une cuisse de poulet dégoulinant de sauce brunâtre dans un fast-food, puis échoua dans un cinéma où elle choisit un film de fantasy bruyant qui lui fit oublier ses déboires. Le film était profondément satisfaisant : à la fin, le méchant sorcier était réduit à un tas de poussières fumantes. Malheureusement, dans la vie ce n'était pas la même chose et il faudrait plus qu'un sortilège pour se débarrasser de Claire Lanriel. Monica sentit un goût de cendres envahir sa bouche. Elle avait fait confiance à Claire, elle l'avait admirée, elle l'avait aussi… elle en avait aussi été un petit peu *amoureuse*, pensa-t-elle avec un pincement au cœur, et pour toute récompense elle avait été trahie. Elle comprit qu'elle avait le choix : elle pouvait s'écraser devant Claire et se laisser exploiter, ou elle pouvait réagir et tenter de se battre. Autour d'elle, la salle se vida ; les lumières se rallumèrent. Restée assise sur son siège, Monica Réault décida de se battre.

* * *

À son retour du bureau de l'avocat, Claire Lanriel découvrit que Monica s'était esquivée, ce qui ajouta encore à sa mauvaise humeur. L'avocat lui avait cité les articles du Code civil du Québec relatifs à la propriété indivise. *Articles 1015 et 1016 : Chacun des indivisaires a, relativement à sa part, les droits et les obligations d'un propriétaire exclusif… Chaque indivisaire peut se servir du bien indivis, à la condition de ne porter atteinte ni à sa destination ni aux*

154

droits des autres indivisaires... Et, surtout, elle ne pouvait pas exclure Nathalie de l'indivision. Elle ne pouvait pas la contraindre à lui revendre sa part.

— Et si je force la vente ? Le chalet vaut une petite fortune, maintenant, elle ne pourra pas reprendre *ma* part — et je fais racheter en sous-main par des gens de confiance, avait-elle dit en pensant à Simone et Édouard.

L'avocat l'avait regardée avec un peu de pitié.

— Votre meilleure chance de récupérer le chalet est d'en faire votre résidence principale. Installez-vous, changez les serrures et proposez par lettre recommandée à votre belle-sœur de racheter sa part ou de lui verser un loyer selon l'article 1016. *Celui qui a l'usage et la jouissance exclusive du bien est redevable d'une indemnité.* Si vous ne parvenez pas à régler à l'amiable et que votre belle-sœur décide de faire appel aux tribunaux, vous aurez un dossier qui sera très jouable et que l'on pourra faire traîner sur des années au besoin. Au pire, les tribunaux finiront par accorder à Nathalie quatre mois d'occupation par année, proportionnels à sa part.

Mais Claire ne pouvait pas faire du chalet sa résidence principale ! C'était impossible. Elle retourna à son bureau et, toute la journée, attendit Monica avec une impatience croissante, mais cette dernière ne se montra pas. Claire tenta de l'appeler chez elle, sans succès, puis réessaya le samedi matin, et la voix d'un homme d'un certain âge lui répondit après une dizaine de sonneries que Monica était absente et qu'il ne savait pas quand elle rentrerait. De plus en plus exaspérée, Claire décida de restaurer son autorité une fois pour toutes. Le samedi en début de soirée, elle se prépara un gin tonic et s'installa devant son ordinateur.

De : Claire Lanriel
À : Monica Réault
Date : samedi 6 mars

Monica,
Je regrette que nous n'ayons pas pu conclure, comme je t'y avais invitée, notre conversation inachevée d'hier matin. En t'absentant de l'université puis en ne répondant pas à mes appels téléphoniques, tu me contrains à t'écrire ce courriel. J'aurais préféré régler notre différend par une discussion en tête-à-tête, mais tu rends cette option impossible.

Je suis professeur depuis plus de quinze ans et j'ai eu le bonheur de travailler avec de nombreux étudiants. Tu es la première à penser que ton sujet de recherche t'appartient, que tu peux décider qui travaille avec toi, que tu peux t'opposer à l'arrivée d'une nouvelle étudiante dans notre équipe. Cette attitude égoïste et immature est incompatible avec les principes fondamentaux de la vie universitaire.

Les critères d'admission à Richelieu sont extrêmement stricts et c'est un privilège de pouvoir y faire ses études ou y travailler. Il est particulièrement inapproprié que tu abuses de ce privilège en t'imaginant que la conception que tu as de tes intérêts personnels est plus importante que le fonctionnement normal de l'université qui t'a accueillie.

Depuis le début de ta thèse, nous avons toujours eu d'excellentes relations. Mais récemment ton comportement a changé. Tu t'es centrée sur toi-même, au détriment des perspectives globales. Il est indispensable que tu mettes un terme à cette attitude avant qu'elle cause des difficultés supplémentaires. Je te présenterai la semaine prochaine l'étudiante que j'ai embauchée pour développer la couche striée, Leïna Vorostoff, afin que tu lui fournisses les articles, revues, publications, etc., dont elle aura besoin pour se familiariser avec son futur travail. Elle apportera ainsi une contribution importante au projet que tu as démarré et qu'elle *achèvera. Cet esprit de collaboration désintéressé est central à la philosophie de la recherche universitaire.*

Monica, je souhaite sincèrement que nous puissions reprendre les relations de travail harmonieuses qui ont existé entre nous jusqu'à présent. Tu es une étudiante brillante et nous avons passé d'excellents moments ensemble ; il ne tient qu'à toi que cette ambiance de travail saine et stimulante puisse reprendre.

Très sincèrement,
Claire LANRIEL

14

Le lundi de sa mort, Michel Berthier se réveilla très tôt. Lorsqu'il arriva à Richelieu, il se gara près de la Nissan de Claire, se hâta d'entrer dans le bâtiment — il faisait un froid glacial — et alla frapper à sa porte :

— Claire, il faut que je vous voie. Aurez-vous du temps en fin d'après-midi ?

— Pas avant dix-sept heures quarante-cinq.

— Alors disons dix-huit heures. Dans la salle de réunion.

Puis il vit qu'Eric Duguet était arrivé lui aussi et alla le rejoindre.

— Je vois notre amie la professeure Lanriel ce soir à dix-huit heures, dit-il en fermant la porte. J'espère pouvoir régler notre problème de façon définitive. Souhaite-moi bonne chance !

— De tout mon cœur, Michel. De tout mon cœur.

Michel soupira.

— Je dois quand même admettre une certaine part de responsabilité dans cette histoire. Le fait que Christine Verlanges ait encore un statut temporaire quand elle travaille avec nous depuis près de vingt ans est une anomalie que j'aurais dû corriger. Je vais voir avec la Faculté comment on pourrait faire pour la titulariser, d'une façon ou d'une autre.

— Le crime paie... murmura Eric.

— Oui, le crime paie, répondit Michel après un court silence.

* * *

Ce lundi-là, il faisait tellement froid que le chauffage de la Ford de Monica était bien incapable d'assurer une température décente dans la voiture, et la plaque de givre qui s'était formée à l'intérieur des vitres devenait de plus en plus épaisse. Il était tard, près de dix heures. Monica était encore sous le choc du courriel qu'elle avait reçu de Claire la veille. Elle l'avait tellement lu et relu qu'elle le connaissait pratiquement par cœur. Certaines phrases l'avaient brûlée comme autant de fers rouges. *Cette attitude égoïste et immature est incompatible avec les principes fondamentaux de la vie universitaire... Récemment ton comportement a changé. Tu t'es centrée sur toi-même au détriment des perspectives globales...* Elle avait eu tort de défier Claire. Comment avait-elle pu s'imaginer que, simple étudiante, elle pourrait affronter le dragon ? Elle ne faisait pas le poids.

Mais les étoiles qui veillaient sur son sort en avaient décidé autrement et, dans le hall d'entrée du bâtiment, elle croisa May Fergusson, prête à sortir, tasse de café en main et cigarette à la bouche.

— Tu en fais une tête ! s'exclama May.

— Ça ne s'arrange pas avec Claire.

— Viens avec moi dans ma voiture. Elle est chaude.

Deux minutes plus tard, elles tiraient sur leurs cigarettes dans le 4x4. Monica raconta brièvement sa dernière altercation avec Claire et ajouta :

— Elle m'a envoyé un courriel épouvantable. Je n'ai jamais... je n'ai jamais rien lu de tel.

— Tu l'as sur toi ?

Monica hocha la tête, ouvrit son sac à dos et tendit à May deux feuillets un peu froissés. May commença à lire; la cendre de sa cigarette s'allongea, se rompit et vint s'écraser sur son pantalon de survêtement.

— *Shit...*

Elle replia le courriel et le rendit à Monica:

— Lanriel est allée trop loin. Ce courriel pourrait lui valoir des ennuis.

— Des ennuis? demanda Monica.

— C'est du harcèlement et de l'agression pure et simple. L'administration de l'université n'aime pas ça.

Monica aspira une profonde bouffée de cigarette et s'étouffa. Elle n'avait plus l'habitude.

— Je ne veux pas d'ennuis avec Claire. Je veux simplement me protéger et avoir la paix. Cette étudiante qu'elle veut m'imposer, je suis sûre que c'est pour me punir de l'avoir défiée sur les royalties.

— Ou pour baisser ta part.

— Impossible. On a signé la Déclaration de Découverte, j'ai vingt-cinq pour cent.

— Et si cette étudiante améliore ce que tu as fait et que Claire rédige une nouvelle DD avec elle? Tu crois que tu garderas tes vingt-cinq pour cent?

Monica toussa à nouveau, mais cette fois ce n'était pas à cause de la cigarette.

— C'est pour ça! s'écria-t-elle. C'est pour ça!

— C'est pour ça quoi?

— Claire a changé la DD! La première version décrivait toute la procédure, mais la seconde ne donnait aucun détail et c'est celle-là qu'on a signée! C'est pour ça! Elle veut se garder une marge de manœuvre avec son étudiante!

— Tu as gardé un exemplaire de la première DD?

— Non, fit tristement Monica. Je l'ai laissée sur son bureau quand j'ai... quand j'ai claqué la porte.

— Un bon conseil : garde toujours des copies de tout, surtout de ce que tu n'aimes pas. Tu as la nouvelle DD ?

— Oui, bien sûr.

— Parfait. Il devrait y être indiqué qui est l'agent de la Faculté chargé du dossier. Trouve son adresse dans l'annuaire de l'université et envoie-lui un courriel — avec copie à Claire — où tu rapportes tous les détails qu'elle a supprimés. Si elle t'interroge, tu joueras les idiotes en prétendant que tu pensais devoir transmettre ces informations pour compléter le document. Elle ne sera pas dupe mais elle ne pourra rien faire. Et toi, avec ce courriel, tu éviteras que dans un an ou deux elle rédige une autre DD avec cette étudiante et dise « C'est nouveau, c'est différent, et c'est à moi ».

Monica était ravie. Elle faillit battre des mains, comme quand elle était petite.

— Je marque mon territoire !

— Exactement. Ça lui compliquera sérieusement les choses.

— Je vais faire ça tout de suite, s'écria Monica.

— Ton travail, c'est ton gagne-pain, grogna May. Elle s'en prend à ton gagne-pain.

— Je te remercie, May. Je te remercie beaucoup. Je n'oublierai pas.

* * *

— J'ai étudié attentivement votre offre de partage des royalties et je pense qu'il y a peut-être un moyen de le mettre en œuvre, déclara Hubert Gatwick à Claire Lanriel.

Claire se cala dans son fauteuil et l'observa d'un air plus froid qu'interrogateur. Gatwick sentit sa volonté faiblir. Il tenta de se ressaisir :

— Vous avez remarqué que personne ne pouvait prédire l'apport final de chacun de nous au projet Wing 3000, et vous avez certainement raison. C'est un point qu'il faut absolument creuser. Le moment est venu de réfléchir à la répartition des tâches pour les prochaines étapes.

— Tant que nous n'aurons pas fini la phase en cours, c'est prématuré. Nous ne pouvons pas planifier à l'aveuglette.

— Il n'est pas question de planifier à l'aveuglette, mais simplement de tracer les grandes lignes afin que chacun sache à quoi s'en tenir quant à sa charge de travail pour les années à venir. Dans le cadre d'une décision sur ce sujet, je crois qu'il serait plus facile d'en arriver à un accord équilibré sur le partage des royalties.

Claire laissa passer quelques secondes puis fronça les sourcils. *Elle a compris*, pensa Gatwick. *Tes royalties contre une garantie écrite que je suis encore là pour au moins cinq ans.* Face à lui, Claire Lanriel s'éclaircit la gorge :

— Comme je viens de vous le dire, il est impossible de prévoir aujourd'hui ce que sera le déroulement des phases futures de la recherche, et par conséquent toute discussion à ce sujet est prématurée. La question qui se pose maintenant est celle de la répartition des royalties. Nous réglerons les autres problèmes le moment venu.

Gatwick se sentit pâlir. Il dit d'une voix qu'il ne put empêcher tout à fait de trembler :

— Comme vous voudrez, Claire.

Et il partit, raide, furieux, impuissant… mais, au fond, pas vraiment surpris.

* * *

Monica s'installa devant son ordinateur, heureuse et fébrile. Quelle différence faisait une simple conversation ! Avant de parler à May, elle était vaincue, défaite, mais maintenant, elle avait de nouveau une chance de gagner.

Elle trouva l'agent de la faculté responsable de la DD et rédigea un courriel naïf avec tous les détails en pièce jointe. Elle le lut et le relut; tout y était. Elle décida d'attendre une heure ou deux avant de l'envoyer; c'était un courriel *très* important et elle voulait le relire à tête reposée pour bien vérifier que tout était impeccable.

Et que devait-elle faire d'autre? Devait-elle retourner contre Claire le message violent que cette dernière lui avait envoyé? May n'avait pas vraiment *suggéré* qu'elle agisse ainsi — elle avait simplement *indiqué* que, si ce message venait à être connu, Claire pourrait avoir des ennuis. Mais en fait... Monica n'avait aucun intérêt à rechercher le combat frontal contre Claire Lanriel. Elle réalisa qu'elle avait une autre possibilité à explorer, une possibilité tellement évidente qu'elle aurait dû y penser plus tôt. Le moment était venu d'agir comme Claire. Et pour commencer, il fallait endormir sa méfiance.

Lorsque Claire Lanriel vint la voir en fin de matinée pour inspecter les résultats de son coup d'éclat, elle se montra fort satisfaite de la capitulation qu'elle constata. Mais à peine eut-elle quitté le bureau que Monica revint à son courriel de la DD, le relut, fit quelques corrections mineures, le relut encore, puis prit une profonde inspiration. Une bouffée de joie presque physique l'envahit lorsqu'elle cliqua sur *Envoyer.*

Une heure et demie plus tard, elle reçut de l'agent de la faculté un accusé de réception court mais cordial. *Merci pour ces précisions qui complètent la demande. Bonne chance pour la poursuite de la recherche.*

Mais elle ne reçut aucune réponse de Claire Lanriel.

* * *

Michel s'installa dans la salle de réunion peu avant dix-huit heures ; la neige avait recommencé à tomber, et le vent s'était levé et faisait trembler les fenêtres. Un vrai blizzard. Il posa devant lui un épais dossier, fermé. Claire le rejoignit peu après.

— Fermez la porte, Claire. Asseyez-vous.

Elle obéit. Michel reprit :

— Je n'irai pas par quatre chemins. Je vous demande de renoncer à votre idée de me succéder à la tête du département. Je vous demande également de quitter votre poste de professeure, à votre convenance, d'ici la fin de l'année.

Claire Lanriel ne cilla pas. Elle le regarda comme s'il était subitement devenu fou.

— Pour quelle raison devrais-je agir ainsi ?

— Ceci.

Il ouvrit le dossier et en sortit la thèse.

— Vous avez commis une fraude dans votre thèse en zoomant vos images pour faire croire que vos gouttelettes d'eau avaient grossi.

Pas un muscle ne bougea sur le visage de Claire.

— C'est ridicule.

— Voulez-vous voir une preuve ?

— C'est ridicule, je vous dis. Et je vous rappelle que la diffamation constitue un délit.

— Je ne veux pas vous diffamer. Je dis seulement que vous avez fait preuve à cette occasion d'un manque d'éthique incompatible avec le poste que vous occupez.

Claire se leva.

— Inutile de poursuivre cette conversation, cracha-t-elle.

— Rasseyez-vous. Il y a plus, et si vous quittez cette pièce maintenant, je serai contraint de rendre public ce que je préférerais vous dire en privé.

Claire hésita puis se rassit.

— Vous avez touché quarante mille dollars de la Northern Energy. Vingt mille dollars l'année dernière, vingt mille l'année d'avant. Vous avez omis de déclarer ces frais de consultant au département, comme vous en avez l'obligation.

Court silence.

— Un oubli de ma part. Une pure négligence.

— J'en suis convaincu. Mais les directeurs de département, ou ceux qui aspirent à cette fonction, ne peuvent se permettre des négligences de cette nature.

— C'est tout? Vous avez terminé?

— Juste un dernier mot: si vous refusez de partir de vous-même, je transmettrai toute l'affaire à la faculté.

Claire Lanriel garda le silence une bonne dizaine de secondes, puis elle eut un petit rire. Un rire étrange, qui venait du fond de la gorge.

— Michel… vous avez toujours été le *consensuel.* Celui qui cultive le compromis comme d'autres les géraniums en pot. Celui qui évite à tout prix de faire des vagues et qui cherche des angles à arrondir. Le diplomate par excellence, passé maître dans l'art de ne pas se mouiller, le tout enrobé de citations latines. Et voici que… vous voulez déclarer la guerre?!

— Il y a des choses que l'on ne peut pas laisser passer.

Elle le regarda avec un mépris non dissimulé.

— Vous m'avez toujours été hostile. Vous appartenez à une génération qui voit d'un mauvais œil des femmes à des postes de responsabilité. En sortant d'ici, je préviendrai mon avocat. Je ne me laisserai pas insulter sans réagir.

— J'en conclus que c'est non.

— C'est non.

— Très bien.

Il se leva, prit son dossier et sortit, laissant Claire seule. Elle resta immobile de longues minutes. Son visage figé avait soudain vieilli. Le vent sifflait et faisait vibrer les vitres, mais elle ne l'entendit pas. Puis elle se leva lentement, revint à son bureau et, avec des gestes mécaniques, éteignit son ordinateur, enfila son manteau et ses gants, ferma sa porte à clé, descendit l'escalier, ouvrit la porte extérieure, baissa la tête pour se protéger du vent et des bourrasques de neige, se dirigea vers sa Nissan.

Elle vit alors Michel. Il était allongé sur le dos, yeux fermés, déjà couvert d'une fine couche de neige. Il avait une marque rouge au front. Près de lui gisait une grosse colonne de glace. Claire porta la main à sa bouche et esquissa un geste vers lui. Elle glissa sur la neige, se rattrapa à sa voiture. Elle resta immobile un instant, se retourna, ouvrit son sac à main, sortit sa clé de contact et déverrouilla sa portière.

15

Lorsque Monica arriva à Richelieu le lendemain à neuf heures, le bâtiment était en émoi. *Michel Berthier est mort,* lui souffla quelqu'un. *Une stalactite lui est tombée sur la tête. May l'a découvert en partant, tard hier soir.* Les gens sortaient dans l'air glacial pour regarder les colonnes de glace qui pendaient de la corniche. Les plus grosses faisaient bien un mètre cinquante. Stupéfaite, Monica écoutait l'histoire qu'on lui confirmait, répétait. C'était complètement stupide ! Comment l'université pouvait-elle laisser passer les gens sous ces glaçons meurtriers ? Elle croisa Claire Lanriel, qui avait perdu sa contenance habituelle. Claire était blême, les traits tirés comme si elle avait mal dormi, et Monica se demanda soudain quel âge elle avait exactement. Elle entendit un étudiant qui parlait : « Les médecins ont dit qu'il a été assommé par le bloc de glace et qu'il est mort de froid par la suite. » « Mais comment peuvent-ils le savoir », répondit un autre. Petit à petit, alors que la matinée passait lentement, les groupes se disloquèrent, les conversations moururent, le silence tomba ; et les étudiants, le personnel et les enseignants du département rentrèrent travailler, espérant peut-être qu'agir ainsi dissiperait la mort de Michel Berthier comme les actes habituels du lever dissipent les dernières vapeurs des mauvais rêves.

***

Incapable de rester à Richelieu et incapable d'en partir, Christine Verlanges passa l'essentiel de la journée immobile derrière son bureau, regardant l'écran de son ordinateur d'un air absent. Peu après quinze heures, Claire Lanriel entra dans la bibliothèque pour consulter un dictionnaire technique français-anglais. Elle semblait avoir recouvré son assurance habituelle. Pourtant, la commissure des lèvres était crispée, la paupière tendue, les narines pâles et pincées... Claire sentit son regard et leva la tête :

— Vous voulez me dire quelque chose ?

Christine n'avait plus rien à perdre.

— Vous allez pouvoir fermer la bibliothèque et la remplacer par des bureaux, maintenant.

Elle eut le plaisir de voir Claire frémir une brève seconde.

— N'en faites pas un drame, Christine. Ça ne changera pas grand-chose pour vous.

Foudroyée par le culot de Claire, Christine tenta de répondre, mais les mots ne vinrent pas et elle devint toute rouge. Claire la regarda, étonnée :

— Vous ferez le même travail à la bibliothèque de la faculté, c'est tout. On vous mettra probablement en charge des rayons attribués aux ouvrages de notre département, puisque vous les connaissez déjà.

— N... non, parvint à articuler Christine.

— Vous ne voulez pas ? Vous voulez partir ?

— Je ne veux pas partir ! Je vais être chassée ! Je ne suis pas employée de l'université, simplement du département ! Si cette bibliothèque ferme, je perds mon emploi !

Il y eut un silence. Claire Lanriel dévisagea Christine quelques instants et dit :

— Je ne savais pas que vous n'étiez pas employée de l'université.

Elle hésita puis poursuivit :

— Si cette bibliothèque doit fermer, je vous promets que vous serez recasée ailleurs sur le campus. J'en prends l'engagement auprès de vous.

Christine n'en croyait pas ses oreilles. Claire la regardait toujours, et elle avait une expression étrange sur le visage — du regret ? Non, ce n'était pas du regret, c'en était proche mais ce n'était pas ça, c'était autre chose, ça ressemblait presque à du remords, mais pourquoi Claire Lanriel aurait-elle des remords ?

— Je… je vous remercie, professeure Lanriel, balbutia-t-elle.

— Je vous en prie. Je ferai ce qu'il faut pour que vous ne perdiez pas votre emploi. Je m'y engage, Christine. Je m'y engage.

Et elle sortit de la bibliothèque, peut-être un peu moins droite que d'habitude, peut-être la démarche un peu moins rapide, et même ses talons semblaient claquer moins fort sur le plancher.

* * *

Ce soir-là, Claire Lanriel retourna au club. Elle vit avec soulagement qu'aucun des jumeaux-Kevin n'y était. Elle retrouva le grand blond à qui elle avait payé un verre quelques semaines auparavant et, après trois gin tonics, le ramena chez elle. Elle lui laissa deux cents dollars ; il les valait. Elle regarda ensuite les émissions nocturnes de la télé américaine et s'endormit vers trois heures du matin, abrutie de fatigue. Lorsqu'elle se réveilla le lendemain, elle était redevenue elle-même et elle avait oublié la promesse faite à Christine Verlanges.

16

Le lendemain, en milieu de matinée, Claire Lanriel vint présenter Leïna Vorostoff à Monica. Elle ajouta, en se tournant vers Leïna:

— Monica va te donner les publications de base pour que tu te familiarises avec ton futur travail. C'est un sujet extrêmement intéressant, tu verras.

Puis elle sortit. Monica composa un sourire accueillant à l'intention de Leïna et alla jusqu'à une étagère encombrée de livres et de revues:

— Claire m'a prévenue de ton arrivée la semaine dernière et j'ai commencé à regarder ce qui pourrait t'être utile. Il y a bien sûr énormément de choses qui ont été faites sur les panneaux solaires. On s'y perd facilement et il ne faut pas que tu gaspilles ton temps.

En regardant le visage timide de Leïna s'éclairer, Monica se sentit vieille et pleine d'expérience. Pourtant, elles n'avaient que quelques années d'écart. Mais face à Claire Lanriel, on ne pouvait garder très longtemps sa bienheureuse innocence. Elle prit une pile de revues et dit d'un ton enjoué:

— Tu verras, Claire est une bonne patronne. On travaille beaucoup avec elle et elle est parfois assez dure, mais elle forme bien.

— Oui, je sais, répondit Leïna, elle a une réputation, euh... assez difficile parmi les étudiants. Mais bonne, bonne, se hâta-t-elle d'ajouter.

— Les deux sont justifiées, dit Monica d'un air absent en continuant à fouiller dans ses revues.

Leïna, qui se frottait les mains d'un geste nerveux, hésita puis demanda :

— Toi, tu t'entends bien avec elle ? Je veux dire...

— Oh moi, il n'y a aucun problème. Comme ce n'est pas elle qui dirige ma thèse, je suis tranquille.

— Ce n'est pas elle ?

— Non. Ma vraie patronne, c'est la Northern Energy.

Monica posa une pile de revues poussiéreuses sur une chaise et se tourna vers Leïna :

— En fait, le gros problème avec Claire, c'est qu'elle étire les délais. Une maîtrise, normalement, ça dure un an et demi. Mais Claire demande chaque fois à ses chercheurs de faire des tas d'expériences supplémentaires, ce qui allonge toujours au moins d'un an. Pareil pour les thèses. Moi, j'ai de la chance parce que mon projet est financé par la Northern et ce sont eux qui décident du calendrier. Ils sont pressés d'avoir les résultats et je serai sans doute la première des étudiantes de Claire à finir sa thèse dans les délais prévus.

Leïna émit un petit *oh* troublé.

— C'est que moi, ça ne m'arrange pas d'avoir une maîtrise trop longue, parce qu'ensuite je veux aller travailler à Toronto... tu crois que je devrais le lui dire ?

— Si tu lui poses la question, elle te promettra sur la Bible, le Coran et la charte des Nations unies que ta maîtrise sera bouclée en dix-huit mois. Ce qui arrivera ensuite...

Monica laissa sa phrase en suspens et feuilleta un recueil d'actes de conférence. Puis elle leva la tête, prit une expression songeuse et ajouta à mi-voix :

— Je me souviens d'un étudiant chinois, il s'appelait, euh, quelque chose comme Wang Xuen, je crois. Il avait un temps limité pour terminer sa thèse, parce qu'un boulot l'attendait là-bas dans une usine de je-ne-sais-plus-quoi, mais elle a quand même prolongé sa thèse de plus d'un an. Il a protesté, je crois qu'il a même pleuré, mais sans aucun résultat. Elle a été inflexible. Il me semble vaguement qu'elle l'a menacé de ne pas signer les documents dont il avait besoin pour ses visas s'il continuait à l'embêter. Il a cédé, il est resté. Et bien sûr, il a perdu l'emploi qui l'attendait.

Leïna la regardait, muette. Monica poursuivit :

— Ne te méprends pas. Claire est une bonne patronne et je n'ai pas à m'en plaindre ! Seulement, il ne faut pas que tu lui laisses prendre trop de pouvoir sur toi.

— Oh… mais c'est que vraiment… vraiment je ne peux pas me permettre de passer deux ans et demi sur une maîtrise !

Monica s'approcha d'elle et prit une expression soucieuse.

— Dans ce cas, c'est à toi de voir. Tu sais, il y a d'autres profs qui cherchent des étudiants. Et qui tiennent les délais.

Leïna leva la tête vers elle, ses grands yeux verts remplis de doute et d'inquiétude. Une biche dans les phares d'une voiture, pensa Monica. La biche murmura :

— Mais elle ne sera pas contente si je lui dis que je ne veux pas travailler avec elle…

— Tu n'as pas à le faire tout de suite. Il vaut mieux que tu trouves d'abord un autre prof, une autre maîtrise, et tu la préviendras après. Comme ça, tu gardes toutes tes portes ouvertes. C'est plus prudent. On ne sait jamais.

Leïna la regarda avec gratitude et souffla :

— Merci de m'avoir prévenue.

Et elle quitta le labo, sans prendre aucune revue. Monica la regarda partir, un peu surprise. Était-il donc aussi facile d'influencer les gens? C'était inattendu, et peut-être un peu désagréable. Elle se ressaisit. Elle était loin d'avoir gagné la guerre contre Claire. Elle n'avait même pas gagné une bataille; elle avait simplement esquivé une balle. Il y en aurait sans doute d'autres. Que devait-elle faire pour protéger ses intérêts?

Les mois suivants étaient tracés d'avance: elle devait finir sa thèse. Mais après? Claire lui avait vaguement laissé entendre qu'elle pourrait continuer à travailler avec elle. Après ce qui venait de se passer, était-ce vraiment une bonne idée? Et puis, rien ne prouvait que l'offre d'emploi de Claire fût sincère. Elle avait amplement démontré une certaine flexibilité en termes de gestion des promesses.

* * *

De: Claire Lanriel
À: May Fergusson
Date: mercredi 10 mars

May,
En préparant mes documents fiscaux, j'ai réalisé avoir omis de déclarer une somme de 40 000 $ (quarante mille dollars) que j'ai touchée de la Northern Energy à titre de consultante. Je m'excuse de cet oubli involontaire et vous prie de bien vouloir faire le nécessaire afin de régulariser le dossier, conformément au code d'éthique et de transparence de l'Université.
Salutations,
Claire LANRIEL

— *Shit…* fit May.

Elle relut le courriel de Claire et une idée monstrueuse surgit dans son esprit. Mais non — ce n'était pas *possible.* Ou alors?... Non — non. Elle hésita, alluma une nouvelle cigarette — cette semaine, elle fumait dans son bureau, et au diable les lois antitabac — puis elle prit une décision.

17

Jeudi matin, alors qu'Eric Duguet tentait de se concentrer sur son travail, on frappa à sa porte. May Fergusson entra. Elle semblait vieillie, grise, tassée. Elle tenait à la main une liasse de lettres.

— Ceci est arrivé pour Michel, dit-elle d'une voix lasse. Je crois que ce sont des publicités pour des congrès, des annonces de conférences, ce genre de choses. J'ai pensé que vous pourriez y jeter un coup d'œil et voir s'il faut y répondre.

Puis elle ressortit. Un peu surpris, Eric prit la liasse. Pourquoi lui ? Tout cela pouvait certainement attendre qu'on nomme un directeur par intérim. Des imprimés, des prospectus... et une enveloppe, à l'en-tête de Patrice Desjardins, directeur Recherche & développement de la Northern Energy. Il hésita, puis l'ouvrit.

Montréal, le lundi 8 mars

Cher Michel,
Je te confirme que ta professeure Lanriel émarge bien comme consultante chez nous depuis deux ans, à hauteur de 20 000 $ annuellement. Je t'envoie une copie du contrat qui nous lie, en

espérant que cela t'aidera à réconcilier les apparences universi-
taires et la vérité comptable !
  Il faudra qu'on aille manger ensemble un de ces jours !
  Salutations d'usage,
  Patrice

Eric relut la lettre et examina les documents qui l'accompagnaient. Puis il se leva et alla rejoindre May dans son bureau au bout du couloir. Il ferma la porte.

— Je ne suis pas sûr de comprendre...

Il s'assit face à elle. May avait vraiment mauvaise mine.

— Je n'ai pas dormi la nuit dernière, dit-elle à voix basse. J'ai eu une idée affreuse.

Elle se tut un instant puis lâcha très vite :

— J'ai pensé que Claire avait tué Michel d'un coup de stalactite dans le stationnement et qu'elle avait déguisé ça en accident. C'est idiot, mais quand j'ai reçu le courriel de Claire j'y ai pensé tout de suite.

Eric la regarda, stupéfait.

— Quel courriel ?

— À propos de cet argent de la Northern. Elle me demandait de régulariser la situation.

— Je ne vous suis pas...

— Excusez-moi, je suis confuse. La semaine dernière, j'ai appris que Claire avait touché des frais de consultant de la Northern Energy, mais je savais qu'elle n'avait rien déclaré. J'en ai donc parlé à Michel Berthier et il m'a dit qu'il allait contacter Patrice Desjardins à la Northern pour savoir exactement ce qu'il en était. Ils se connaissaient bien. Alors quand le lendemain de sa mort Claire m'a envoyé un courriel pour régulariser la situation, ça m'a paru... enfin, j'ai eu l'idée qu'elle avait tué Michel pour le faire taire. Mais ça ne tient pas debout, ce n'est pas assez grave pour... pour justifier...

Eric resta muet plusieurs secondes puis dit lentement :

— Michel a vu Claire peu de temps avant sa mort. Du moins, c'est ce qui était prévu. Il avait rendez-vous avec elle le lundi à dix-huit heures. Il voulait la dissuader de présenter sa candidature à sa succession.

May devint blême.

— Donc la réunion a eu lieu, murmura-t-elle. Ils se sont disputés. Ils sont sortis du bâtiment. Elle a vu un bloc de glace par terre... et elle a frappé.

Il y eut un long silence.

— Claire est capable de beaucoup de choses, mais je ne sais pas si elle est capable de ça, dit enfin Eric. De toute façon, on ne le saura jamais. Il n'y a pas eu de témoin.

Un nouveau silence, puis May s'exclama :

— Si, il y a un témoin ! La caméra de surveillance au-dessus de la porte. Si on voit sur la bande que Claire et Michel sont sortis en même temps... Venez avec moi.

Quelques instants plus tard, ils s'entassèrent dans un réduit minuscule derrière son bureau, qui servait de dépôt pour la petite papeterie. May monta sur un escabeau, écarta des ramettes de papier et tira un petit écran noir et blanc :

— Le système d'enregistrement est branché ici. Une image toutes les trois secondes.

Une image en noir et blanc apparut sur l'écran, granuleuse, déformée. Il fallut quelques secondes à Eric pour comprendre qu'il voyait la porte d'entrée à double battant du bâtiment prise en contre-plongée, de l'intérieur, avec la date et l'heure incrustées en gros caractères dans le coin supérieur droit. May étudia l'enregistreur quelques instants. Il n'y avait pas de bouton, simplement une manette, comme pour un jeu vidéo.

— Il faut connecter le système à un ordinateur pour avoir toutes les fonctionnalités, mais je crois que...

181

Elle déplaça la manette vers la gauche. L'image sauta.

— C'est ça, s'exclama Eric. L'heure recule.

Ils firent défiler l'enregistrement en accéléré pendant plusieurs minutes, surveillant l'horloge qui reculait.

— On y est presque. Ralentissez... dix-sept heures lundi. Avancez un peu, jusqu'à dix-huit heures...

Le défilement ralentit. Le nez presque collé sur le petit écran, May et Eric guettaient l'image.

— Quelqu'un ! s'écria Eric. Repassez plus lentement !

Une silhouette avec de longs cheveux passa, de dos.

— Ni l'un ni l'autre, murmura Eric.

Ils attendirent patiemment. Une forme, avec un long manteau sombre et des cheveux blancs, traversa l'écran.

— Michel.

Puis une forme plus menue, qui passa d'un pas plus pressé.

— Claire...

— ... exactement sept minutes plus tard.

Ils se regardèrent, puis Eric dit d'une voix un peu nouée :

— Donc elle ne l'a pas tué. C'était bien un accident. C'est réconfortant, j'imagine.

— Cela signifie aussi que quand Claire a pris sa voiture, Michel était déjà couché dans la neige, inconscient. Juste à quelques mètres d'elle.

— Oui, mais... il y avait une tempête épouvantable. Elle a dû marcher vers sa voiture tête baissée...

— C'est possible, dit May froidement. Comme il est aussi possible qu'elle ait *choisi* de ne pas le voir.

Il y eut un long silence. Eric prit à son tour la manette et revisionna les départs de Michel et de Claire. Puis il prit une profonde inspiration :

— Michel est mort... et je dois prendre le relais. Je vais empêcher Claire de devenir directrice. C'est ce qu'il voulait.

— Comment ferez-vous ?

— Je vais reprendre ses arguments. Les frais de consultant et… et sa thèse.

— Sa thèse ?

— Michel et moi avions appris que Claire avait truqué ses résultats.

— Il ne manquait plus que ça ! Vous en êtes sûr ?

Eric hocha la tête et reprit :

— Mais je ne peux pas parler à Claire de… de la caméra, de ce qu'elle suggère. C'est une accusation horrible. Et nous n'avons pas de preuve.

May dit doucement :

— Si nous avions des preuves, nous devrions aller voir la police. Nous n'avons que des soupçons, invérifiables. Mais toutes ces histoires, la thèse, l'argent, la rencontre entre Claire et Michel, et la mort de ce dernier juste après… il y en a assez pour mettre un terme à la carrière de Claire.

— Vous croyez ?

— L'université ne possède qu'une chose, qu'elle défendra à tout prix : sa réputation. Si Claire est soupçonnée de quoi que ce soit, même si c'est vague, flou et non prouvé, elle est fichue. C'est comme les accusations d'agression sexuelle. Vraies ou fausses, elles ruinent la carrière des profs qu'elles visent.

Frappé par les propos de May — Claire pourrait-elle être contrainte de partir ? —, Eric ne répondit pas.

— Elle ne vaudra plus rien si cette histoire sort, reprit May. Plus rien du tout.

18

Dans la nuit du jeudi au vendredi, Claire Lanriel dormit mal. Des formes blanches indistinctes, froides et hostiles, hantèrent son sommeil. Elle se réveilla épuisée, avec un horrible mal de tête. Avant de partir travailler, elle appela Simone et Édouard. Elle avait envie d'entendre leurs voix, mais personne ne répondit. Elle essaya de nouveau en arrivant à Richelieu, sans plus de succès. Où pouvaient-ils être ? Elle éprouvait parfois une pointe d'inquiétude à les savoir seuls dans ce chalet isolé. Ils se faisaient vieux... et depuis la mort d'Hughes, elle ne connaissait personne aussi bien qu'eux. Sauf son ex-mari, mais ça ne comptait pas. Et Alexandra, qui était trop différente d'elle.

Elle sursauta lorsque son téléphone sonna. *Nathalie.* Elle hésita, puis décrocha. La mort accidentelle de Michel Berthier était un bon prétexte pour retarder encore sa visite et lui laisser le temps de réfléchir. Il fallait qu'elle trouve un moyen de la chasser de l'indivision, Code civil ou pas.

— Non, Nathalie, dit-elle avec une pointe d'agacement qu'elle ne chercha pas à dissimuler, je ne pourrai pas venir te rejoindre. Il y a eu un... un incident à l'université et ma présence est requise.

À l'autre bout du fil, Nathalie n'était pas satisfaite. Elle devait voir Claire pour parler des travaux. En début de semaine, peut-être ?

— Ça n'a aucun caractère d'urgence. Je viendrai quand je pourrai, je te l'ai déjà dit.

Ah, mais l'entrepreneur était repassé, il avait fait un devis et c'était cher. Beaucoup plus cher que ce que Nathalie croyait au départ. Ces travaux étaient *indispensables* mais elle ne pouvait pas avancer l'argent, même si évidemment elle faisait toute confiance à Claire et à Alexandra pour assumer leur part. Elle avait payé la première facture, il n'y avait pas de problème pour ça, mais...

— Première facture ? Quelle première facture ? Première facture pour quoi ?

Pour tirer les nouvelles prises de courant dans le futur bureau, bien sûr ! Il y en avait tellement peu dans la maison, l'entrepreneur avait d'ailleurs dit que le réseau électrique n'était pas de très bonne qualité et qu'il faudrait peut-être... Ce qu'il avait fait ? Eh bien, il avait simplement cassé le plâtre pour récupérer les fils et...

— Tu as commencé les travaux sans que je donne mon accord ? !

Eh bien, ce n'étaient pas vraiment des *travaux*, seulement quelques raccordements électriques, ça avait fait un peu de poussière bien sûr, mais elle avait pris soin de couvrir les meubles et pour le reste il suffirait de donner un bon coup de peinture quand tout serait fini, et de toute manière...

Tandis que Nathalie continuait à parler, Claire comprit qu'elle devait changer de tactique. La gentillesse n'avait pas payé avec Nathalie, la gentillesse ne payait de toute façon jamais avec personne. Il fallait être plus brutale. Une lettre de son avocat, intimant Nathalie de ne pas engager de travaux sans autorisation. Article machin du Code civil. Le moment était venu de jeter le masque. Claire ressentit une bouffée de bonheur inattendu. Enfin, elle ne serait plus obligée d'être aimable avec sa belle-sœur! Le principal avantage de la guerre est qu'on n'a plus besoin de s'embarrasser des contraintes de la paix.

— As-tu vu Simone et Édouard récemment? dit-elle en coupant Nathalie au milieu d'une phrase. Je n'arrive pas à les joindre.

Eh bien, ils n'étaient pas au chalet. La veille au matin, une ambulance était venue chercher Édouard et...

— Une ambulance?! Que s'est-il passé?

Oh, rien de très grave. Il s'était fait mal à la jambe — une mauvaise chute en déneigeant sa voiture — et comme il était de plus en plus mal, Simone avait appelé le 911 et une ambulance était venue et les avait emmenés. À leur âge, ils auraient dû faire attention, Nathalie le leur avait déjà dit, c'était complètement irresponsable de... comment? Non, elle ne savait pas où ils l'avaient emmené. À Sherbrooke, sans doute, le plus grand hôpital de la région.

Claire se souvint que Simone et Édouard avaient un portable, dont ils ne se servaient évidemment jamais puisque le signal ne passait pas jusqu'au lac. Elle termina abruptement la conversation avec sa belle-sœur, trouva le numéro dans son agenda, le composa et, à son grand soulagement, Simone répondit tout de suite. Elle était à Sherbrooke, dans un couloir d'hôpital. Édouard passait des examens. En se réveillant la veille au chalet, il avait trouvé sa cheville et sa jambe très enflées, douloureuses, et il avait aussi une impression bizarre dans le bras gauche, une sorte d'engourdissement, il ne sentait plus le bout de ses doigts... La voix de Simone était plus faible que d'habitude, presque chevrotante.

— Les médecins craignaient qu'il ait un caillot dans la jambe. Ils lui ont donné des anticoagulants et lui ont fait passer un scanner du cerveau, mais ils n'ont rien vu.

Aujourd'hui, on lui fait d'autres examens, mais ce matin il allait un peu mieux, sa jambe a désenflé et il n'a plus toutes ces sensations bizarres dans le bras…

— J'arrive. Je pars de Montréal maintenant. Je serai à Sherbrooke dans deux heures tout au plus.

— Ce n'est pas la peine de te déranger, Claire.

— J'arrive, répéta-t-elle.

— Je t'assure que ce n'est pas la peine.

Claire ferma les yeux.

— Je viens. Je vais m'occuper de tout. Ne t'inquiète pas.

Un court silence, puis :

— Sois prudente sur la route, ne va pas trop vite. Il y a du verglas. Fais bien attention.

— Je te le promets. À tout de suite.

Claire raccrocha. Juste à cet instant, on frappa à la porte de son bureau.

— Il faut que je vous voie.

Eric Duguet vit immédiatement que ce n'était pas le bon moment. Claire Lanriel était pâle, presque blême.

— Pas maintenant, dit-elle en se levant d'un mouvement brusque. Je dois partir.

Mais Eric n'avait pas le choix. Il entra et ferma la porte.

— Ce que j'ai à vous dire n'est pas bien long. Je vous demande… je vous demande de quitter Richelieu.

— Pardon ?

— Claire, vous avez truqué les résultats de votre thèse. Vous avez omis de déclarer les frais de consultant que vous avez touchés de la Northern Energy. Michel Berthier vous a déjà parlé de tout ça. Vous…

— Je n'ai fait ni l'un ni l'autre, siffla Claire. Sortez.

— Michel Berthier vous a fait la même requête lundi soir. Sachez que j'ai l'intention de me tenir loin des blocs de glace.

Claire tressaillit.

— Il est regrettable que vous ne l'ayez pas secouru alors qu'il gisait assommé dans la neige.

— Je suis partie avant lui !

— Ce n'est pas tout à fait ce que montre l'enregistrement de la caméra de surveillance.

Claire se figea. Son regard devint lointain, presque vitreux. Elle dit lentement, après un long silence :

— Quand je suis partie, j'ai vu sa voiture. J'en ai simplement conclu qu'il était encore au travail. Je vous l'ai dit...

— Pourtant, il était là quand vous êtes sortie, étendu dans la neige. À quelques mètres de vous.

— Je... je ne l'ai pas vu, dit Claire d'une voix qui tremblait un peu. Je ne l'ai pas vu. Il y avait la tempête, le blizzard... on n'y voyait rien.

— C'est tout ?

— Pardon ?

— Vous aviez rendez-vous avec Michel. Il vous demande de renoncer à lui succéder en évoquant les scandales qui planent au-dessus de votre tête. Et juste après il se fait assommer par un bloc de glace qui tombe de la corniche et vous passez près de lui sans le voir ! D'où ma question : « C'est tout ? »

Claire Lanriel le fixa. Elle semblait totalement stupéfaite, comme si elle ne le reconnaissait pas. Puis, d'un seul coup, le sang monta à ses joues.

— Je vois dans votre jeu, Duguet, cracha-t-elle, et je sais ce que vous voulez. Vous voulez être directeur de ce département. Mais vous ne le serez jamais. Jamais, vous entendez ? Jamais ! Pas avec ce que vous faites à vos étudiants ! Moi aussi, j'ai des choses à raconter !

— Ce que je fais à... mes étudiants ?!

— Vous utilisez votre salle de cours pour ramasser de la chair fraîche. Vous vous imaginez qu'on va laisser quelqu'un comme vous devenir directeur ?

Eric la dévisagea, bouche bée.

— Vous dites n'importe quoi !

— Vraiment ? Et cet étudiant avec qui vous roucouliez au restaurant, l'autre jour ? Le pâtre grec.

Eric resta muet de surprise devant l'énormité de l'accusation. C'était faux, totalement faux ! Il prenait toujours grand soin de garder ses distances vis-à-vis des étudiants et il n'avait jamais fait la moindre avance à Todd — du moins jusqu'à ce qu'il le rencontre dans un bar bien *après* qu'il eut obtenu son diplôme et quitté Richelieu.

— Les choses ne se sont pas passées comme cela, dit-il d'une voix mal contenue.

— Ça n'a aucune importance, Duguet. La vérité n'a aucune importance, il n'y a que les soupçons qui comptent. Vous ne serez jamais directeur. Et maintenant, sortez de mon bureau. Sortez ! hurla Claire.

19

Deux heures et quinze minutes plus tard, Claire Lanriel rejoignait Simone dans un couloir d'hôpital. Elle eut un choc en la voyant. La vieille dame était minuscule, toute pâle, recroquevillée sur une chaise près d'un lit vide sur lequel était plié un vêtement rouge que Claire reconnut immédiatement : la robe de chambre d'Édouard. Simone leva la tête et un sourire illumina son visage fatigué.

— Tu as pu te libérer, je suis si contente ! Ça ne pose pas de problème avec ton travail ?

— Ne t'en fais pas. Où est Édouard ?

— Ils... ils l'ont emmené pour faire d'autres examens. Mais il va mieux, il va beaucoup mieux.

Claire posa son manteau et son sac sur le lit, près de la robe de chambre d'Édouard. Simone poursuivait :

— Le médecin a dit que si les résultats sont bons, il pourra sortir dans l'après-midi. On va pouvoir rentrer chez nous !

Son visage se contracta légèrement et elle ajouta :

— Claire... je ne sais pas si nous pourrons continuer à vivre au bord du lac. C'est tellement loin de tout, tellement isolé...

Claire prit une profonde inspiration et dit :

— J'y ai réfléchi sur la route et j'ai pris une décision. Je vais quitter Richelieu et venir travailler à l'université de Sherbrooke. Je vivrai au chalet, je serai près de vous.

— Mais, Claire, il ne faut pas ! Ta carrière, ton travail... tu ne peux pas partir comme ça !

Claire haussa les épaules et dit d'une voix qui tremblait un peu :

— Ma carrière, à Montréal ou à Sherbrooke, c'est pareil. Et puis... et puis je serai heureuse d'être au chalet. Tu sais, il n'y a que là que j'ai été vraiment heureuse.

Elle se tut. Simone effleura son poignet et dit à voix très basse :

— Je sais. Je me souviens. Tu n'as jamais été pareille, *après*, et ça m'a toujours... ça m'a toujours rendue triste. Nous avons essayé de faire entendre raison à tes parents, Édouard et moi, mais ils n'ont jamais rien voulu savoir. Surtout ta mère.

Les murs de l'hôpital pâlirent et disparurent. Claire fut à nouveau une gamine de quatorze ans à l'entrée de l'été, une gamine surprise et émue. Après quatre ans de séparation, leurs parents avaient choisi de se donner une seconde chance et de partir dans les Rocheuses tous les deux. Alors qu'ils laissaient leurs instructions à Simone et Édouard, Claire n'avait d'yeux que pour Hughes, son petit frère Hughes qu'elle n'avait plus vu depuis le divorce et qui était devenu presque un homme. Il était beau, il était le plus beau de la Terre. Puis il y avait eu le soleil, le lac, l'été, la surveillance lointaine de Simone et Édouard... jusqu'au retour inattendu des parents, incapables de se supporter même dans les Rocheuses canadiennes.

Leur réveil en sursaut, la porte qui s'était ouverte brus- quement, devant elle le dos nu d'Hughes dressé sur le lit, ses longs cheveux bouclés sur ses épaules... et le silence choqué. La tempête. Simone et Édouard convoqués, questionnés. Leur propre interrogatoire, à la fois brutal et flou, puis la décision imposée par leur mère, les cris, l'arrachement, les hurlements.

Claire ferma les yeux et dit d'une voix de petite fille :

— On n'avait rien fait de mal. Rien, je t'assure ! Et ils nous ont traités comme des criminels. Ils nous ont empêchés de nous revoir jusqu'à ce qu'Hughes ait dix-huit ans.

20

Le lundi matin suivant la mort de Michel Berthier, Monica Réault arriva au travail de très bonne humeur. Elle venait d'apprendre par la bande que Leïna Vorostoff avait renoncé à sa maîtrise avec Claire Lanriel et entreprenait avec un autre prof des recherches sur les céramiques destinées aux prothèses de genou. Monica avait une réunion de travail avec Claire dans quelques minutes — il lui serait difficile de masquer sa satisfaction !

Elle avait, justement, quelques tests de routine à faire avant cette réunion. Elle reprit les cellules photovoltaïques qu'elle avait produites au cours des derniers mois et mesura leur rendement électrique, comme elle le faisait régulièrement. Il fallait non seulement que ce rendement soit bon, mais en plus qu'il reste stable au cours du temps. Lorsqu'elle analysa la première cellule à couches striées, elle crut à une erreur. Le chiffre était inférieur à 20 %, alors qu'il était à plus de 50 % la semaine précédente ! Elle essaya la suivante : c'était la même chose. Elle les testa toutes, et toutes rendirent le même verdict. Que se passait-il ?

Elle plaça une des cellules sous un microscope. Sous le grossissement, elle s'aperçut que la couche s'était complètement craquelée et s'était même brisée par endroits, comme une terre cuite qui a séché beaucoup trop vite. *Eh, merde.* Ce n'était pas la première fois qu'elle avait un ennui de ce genre. L'année précédente, une série de cellules avait mal vieilli de façon similaire et, en consultant ses cahiers de laboratoire, elle avait compris pourquoi. Elle s'était trompée dans la synthèse : au lieu d'ajouter le solvant en deux étapes — un tiers, puis on dissout bien, puis on ajoute les deux autres tiers — elle l'avait versé d'un seul coup. Elle s'était aperçue de son erreur tout de suite et l'avait notée dans son cahier, se demandant vaguement si elle aurait un impact. Eh bien, oui. C'était comme une recette de cuisine, si on n'ajoute pas la farine de la façon voulue, le résultat n'est pas bon. Il était donc raisonnable de penser que ces craquèlements pouvaient être éliminés en modifiant la phase de dilution du solvant, peut-être en l'ajoutant plus lentement... elle devrait en parler à Claire.

Non. Elle n'en parlerait pas à Claire. Claire finirait bien par remplacer Leïna et trouverait quelqu'un d'autre à lui mettre dans les pattes. Monica était la seule à connaître la solution de ce problème inattendu et majeur, et c'était très bien comme ça. Ça pourrait lui être utile. Un sourire monta à ses lèvres. Pour être bien sûre de son coup, elle referait une série de couches striées en modifiant la dilution pour confirmer que le problème venait effectivement de là ; et elle garderait cette expérience et son résultat pour elle.

Le sourire flottait encore sur ses lèvres lorsqu'elle entra dans la salle de réunion où l'attendait Claire. Cette dernière semblait nerveuse, préoccupée, et elles expédièrent rapidement leur ordre du jour sans que Claire ne mentionne la défection de Leïna.

— Il va falloir que tu accélères un peu le rythme, dit Claire lorsqu'elles eurent bouclé les sujets de la réunion.

— Quel rythme?

— Ta thèse. J'aimerais qu'elle soit finie cet été, plutôt que cet automne. Il faut que tu essaies de conclure le plus vite possible.

Surprise, Monica ne répondit pas tout de suite. Les doigts de Claire tambourinaient sur le bord du bureau. Pourquoi voulait-elle se dépêcher ainsi? Pour se débarrasser d'elle?

— Il y a encore quelques expériences que j'aimerais mener. Mais je peux aussi les faire après.

— Après quoi?

— Eh bien, après ma thèse. Si je continue à travailler avec vous.

Claire parut surprise, puis se reprit.

— Je ne sais pas si ce sera possible.

C'est bien ça! Elle veut se débarrasser de moi! Mais l'expression du visage de Claire était bizarre. Ce n'était pas l'habituel tuez-les-tous-Dieu-reconnaîtra-les-siens et elle ne prêtait qu'une attention distraite à Monica. Abruptement, elle se leva.

— Je suis pressée, je dois partir. Essaie de me donner le premier brouillon de ta thèse dès que tu pourras.

Et elle quitta la pièce. Monica ne bougea pas et resta assise, seule, quelques minutes. Que se passait-il? Qu'arrivait-il à Claire? Que tramait-elle? Pourquoi avancer la fin de sa thèse? Claire avait-elle eu vent de ses «conseils» à Leïna et voulait-elle ainsi la sanctionner? Non, c'était autre chose, elle paraissait tout simplement *ailleurs*. Perplexe, Monica réfléchit à la question sans trouver de réponse. Puis, petit à petit, elle songea que le moment était peut-être venu de commencer à penser à sa vie après Claire Lanriel. Son succès — temporaire? — dans la bataille pour les royalties, c'était bien joli, mais qu'en resterait-il dans dix ans? Elle avait à peu près six mois pour finir sa thèse, six mois pour réfléchir et pour agir. Peut-être que la Northern... elle avait bien travaillé pour eux, ils étaient contents de ses efforts, ils savaient que c'était elle qui avait fait l'essentiel du boulot, ils voudraient peut-être... oui, il y avait sans doute des possibilités de ce côté. Elle devait bouger.

Six mois plus tard

Un chemisier blanc et une jupe marine, très sobres : voilà ce qu'elle porterait pour sa soutenance de thèse. Monica Réault entra dans un grand magasin du centre-ville. Il y faisait frais, presque froid, et elle poussa un soupir d'aise. La chaleur dans les rues était insoutenable, écrasante, inhabituelle pour une fin de mois de septembre. Monica prit l'ascenseur jusqu'au deuxième étage et examina le contenu des rayons ; elle choisit un modèle de chemisier très simple, presque sévère, et la vendeuse, une fille un peu plus jeune qu'elle, avec les cheveux violets du côté gauche, noirs du côté droit et blond platine sur le dessus, commenta :

— C'est quelque chose qu'on vend aux clientes un peu plus vieilles que vous, d'habitude.

Mieux vaut entendre cela que son contraire, songea Monica. Elle répondit :

— C'est pour une occasion spéciale, et je pense que ce sera approprié.

— Ah, dans ce cas, essayez-le avec ce tailleur marine, il est en promotion à deux cents dollars.

— Je ne veux pas de tailleur, fit Monica.

— Essayez-le. Ça ne coûte rien.

Monica hésita. Après tout, pourquoi pas ? En fait, c'était une bonne idée. Pour sa soutenance de thèse, elle devait faire une aussi bonne impression que possible. Le département avait connu un certain remue-ménage : Claire Lanriel venait d'annoncer son départ pour l'université de Sherbrooke — totalement inattendu — et, juste après, Eric Duguet avait quitté l'enseignement pour le secteur privé, une compagnie d'ingénierie minière dans la région de Vancouver. Sans expérience en dehors de l'Université, Monica ne pouvait prétendre présenter sa candidature à un des postes qu'ils avaient libérés, mais d'autres profs partiraient, et dans quelques années elle pourrait, peut-être, revenir à Richelieu… Donc un tailleur, finalement, c'était l'idéal, même si elle n'en avait jamais porté ! Elle passa dans la cabine d'essayage et en ressortit quelques instants plus tard, se sentant toute gauche et engoncée dans cette coupe inhabituelle.

— Ça vous va très bien, dit la vendeuse en mâchant son chewing-gum.

Monica avança vers les miroirs au centre du rayon et vit avec un peu de surprise une jeune femme marcher vers elle, une jeune femme un plus âgée qu'elle, plus mûre, avec plus d'autorité, aussi. Elle tourna la tête. Un homme qui descendait dans l'escalier roulant, assez vieux — il avait bien trente-cinq ans — mais grand et bien bâti, lui fit un sourire. Elle le lui rendit et revint à son reflet. Les cheveux n'allaient pas… il faudrait qu'elle les fasse couper plus court. Des mèches ? En tout cas, quelque chose de plus élaboré, de plus conforme à l'image qu'elle devait maintenant donner d'elle-même. Monica se demanda soudain à quoi pouvait ressembler Claire Lanriel vingt ans plus tôt. Comment avait-elle construit son image ? À quel moment ?

— Ça vous va très bien, madame, répéta la vendeuse.

Madame ? Le charme se rompit et Monica Réault se reconnut à nouveau dans le miroir. Songeuse, elle fit quelques pas, observant le mouvement du tissu qui cintrait sa silhouette et marquait ses épaules.

Remerciements

Je n'aurais pu achever ce livre sans l'aide de tous ceux qui m'ont appuyé au cours de sa rédaction et que je souhaite remercier ici. France Laporte, Isabelle Laporte et Marie Roszak, en France, Philippe Colas et Marc Pellerin, au Québec, m'ont donné de précieux avis après leur lecture du manuscrit. Sylvie Adam et Stephen Soucy ont suivi mes efforts littéraires depuis le début et je leur suis extrêmement reconnaissant de leurs encouragements et de leur patience. Ma sœur Anne-Frédérique m'a toujours soutenu et encouragé ; qu'elle trouve ici l'expression de ma profonde gratitude.

Geneviève Thibault m'a accueilli à la courte échelle et a su tirer de mon manuscrit original un projet bien plus ambitieux. Je tiens à lui exprimer toute ma reconnaissance. Enfin, je remercie Lise Duquette, Hélène Derome et toute l'équipe de la courte échelle pour leur travail et leur soutien.

Parus à la courte échelle :

Romans

Chitra Banerjee Divakaruni
Une histoire extraordinaire

Julie Balian
Le goût du paradis

Valérie Banville
Canons
Nues

Patrick Bouvier
Des nouvelles de la ville

Chrystine Brouillet
Le Collectionneur
C'est pour mieux t'aimer,
mon enfant
Les fiancées de l'enfer
Soins intensifs
Indésirables
Sans pardon
Silence de mort
Promesses d'éternité
Sous surveillance
Double disparition

Marie-Danielle Croteau
Le grand détour

Hélène Desjardins
Suspects
Le dernier roman

Sylvie Desrosiers
Voyage à Lointainville
Retour à Lointainville
T'as rien compris, Jacinthe...

Annie Dufour
Les enfants de Doodletown

Andrée Laberge
Les oiseaux de verre
L'aguayo

François Landry
Moonshine

Anne Legault
Détail de la Mort

Jean Lemieux
La lune rouge
La marche du Fou
On finit toujours par payer
Le mort du chemin des Arsène

Nathalie Loignon
La corde à danser

André Marois
Accidents de parcours
Les effets sont secondaires
Sa propre mort
9 ans, pas peur

Judith Messier
Dernier souffle à Boston

Sylvain Meunier
L'homme qui détestait le golf
La nuit des infirmières
psychédéliques
Les mémoires d'un œuf

Trilogie Lovelie D'Haïti
Lovelie D'Haïti, tome 1
Le temps des déchirures, tome 2
La saison des trahisons, tome 3

André Noël
Le seigneur des rutabagas

Stanley Péan
Zombi Blues
Le tumulte de mon sang

Maryse Pelletier
L'odeur des pivoines
La duchesse des Bois-Francs

Raymond Plante
Projections privées
Le nomade
Novembre, la nuit
Baisers voyous
Les veilleuses

Jacques Savoie
Le cirque bleu
Les ruelles de Caresso
Un train de glace

Alain Ulysse Tremblay
*Ma paye contre une meilleure
idée que la mienne*
*La langue de Stanley
dans le vinaigre*

Gilles Vilmont
La dernière nuit de Jeanne

Nouvelles

André Marois
Du cyan plein les mains
Petit feu

Stanley Péan
Autochtones de la nuit

Récits

Sylvie Desrosiers
*Le jeu de l'oie. Petite histoire
vraie d'un cancer*

Guides pratiques

Yves Bernard et Nathalie
Fredette
*Guide des musiques du monde.
Une sélection de 100 CD*

Bureau international du droit
des enfants (ISCR)
*Connaître les droits de l'enfant –
comprendre la convention relative
aux droits de l'enfant au Québec*

DATE DUE

1 7 MAI 2012	
0 5 JUIN 2012	

Achevé d'imprimer en février 2012
sur les presses de l'imprimerie Gauvin,
Gatineau, Québec